Eugène Ionesco

La cantatrice chauve

et **La leçon**

par Michel Bigot

et Marie-France Savéan

Michel Bigot

et Marie-France Savéan

présentent

La cantatrice chauve

et **La leçon**

d'Eugène Ionesco

Gallimard

Marie-France Savéan et Michel Bigot sont professeurs de lettres à Rennes.

Le dossier iconographique a été réalisé par Nicole Bonnetain.

ABRÉVIATIONS

RÉFÉRENCES

Les références concernant les deux pièces commentées renvoient au texte de la collection Folio (n° 236).

Les références à *Notes et Contre-notes* et à *Présent passé/Passé présent* renvoient à l'édition de ces ouvrages dans la collection Idées (Gallimard).

Tableau d'affichage du spectacle au Théâtre de la Huchette pour la 9000e représentation. Ph. Éditions Gallimard.

IONESCO
AVANT 1950

Inconnu en France avant 1950, Ionesco ne débute cependant pas en littérature. Il fait ses premières armes en roumain, langue qu'il apprend à treize ans, lorsque le divorce de ses parents le contraint à quitter Paris pour Bucarest. À part une plaquette de vers d'inspiration postsymboliste : *Élégies pour des êtres minuscules* (écrite en 1928 mais publiée en 1931), il consacre son talent et son énergie à des analyses paradoxales sur des écrivains roumains modernes. Ayant le goût de la polémique, il publie en 1934 un essai provocant, *Nu (Non)*, dans lequel il se fait successivement procureur et défenseur de trois écrivains roumains (Tudor Arghezi, Ion Barbu et Camil Petresco) et chantre de l'identité des contraires. À la suite du retentissement de l'œuvre, on lui confie une rubrique de critique littéraire. Il appartient désormais à l'intelligentsia roumaine, intéressée à cette époque par deux écrivains qui jouent certainement un rôle dans la formation de Ionesco, même s'il n'écrit que plus tard sur eux : il s'agit de Caragiale, sorte de Labiche, dont les pièces démontent les mécanismes absurdes de la vie quotidienne, et de Urmuz, précurseur dadaïste soulignant les effets destructeurs du langage. Mais le critique non conformiste de 1934, que toutes les idéologies laissent sceptique, est aussi hanté par la peur de la mort et le sentiment de l'échec ;

il se confie dans un Journal dont il publie quelques extraits en revue et qu'il récupérera ensuite partiellement dans *Journal en miettes* et *Présent passé/Passé présent.* Cette angoisse existentielle d'un homme, trop exigeant et lucide pour se contenter des solutions communes, débouche sur la dérision, de soi-même et des autres. La critique littéraire ne le satisfait plus, le théâtre lui déplaît, le Journal le déçoit en tant que moyen d'expression. Il cherche sa voie. La guerre, en le contraignant à retourner en France et donc à rompre avec la vie culturelle roumaine, va le forcer à prendre un second départ, dans sa langue maternelle cette fois : le français.

LA CANTATRICE
CHAUVE

« Il me semble parfois que je me suis mis à écrire du théâtre parce que je le détestais » (*N.C.N.*, p. 47). De la fin de l'adolescence jusqu'aux premières répétitions de *La Cantatrice chauve*, Ionesco a considéré le théâtre comme un art mineur, ennuyeux, voire méprisable. Les premières pages de l'article paru en 1958 dans la *N.R.F.*, « Expérience du théâtre » (*N.C.N.*, p. 47 à 54), disent toutes ses réticences passées à l'égard de l'art dramatique et font écho à un texte antérieur de près d'un quart de siècle, au titre éloquent : « Contre le théâtre [1]. » Pendant deux décennies, Ionesco nourrit une réelle méfiance envers le théâtre, pour au moins deux raisons. D'abord, le théâtre lui semblait un genre fondamentalement faux. Il prétend en effet nous plonger dans l'imaginaire comme la poésie ou le roman, mais nous montre des personnages en chair et en os. C'était donc l'acteur, incarnation pesante d'un personnage fictif, qui gênait Ionesco spectateur. Il pouvait apprécier la lecture de certains grands dramaturges (Shakespeare, Kleist...), mais pour des motifs purement littéraires. La seconde raison résidait dans la grossièreté des effets dramatiques, dans l'évidence trop voyante des ficelles de la scène : « Le théâtre me paraissait conventionnel avec ses gros effets », déclare Ionesco à Claude Abastado en 1970 [2].

Comment comprendre alors la genèse de *La Cantatrice chauve* ? L'auteur nous en

1. In *Nationalul*, 24 juin 1934. Cité et traduit du roumain par Gelu Ionesco (Colloque de Cerisy).

2. Claude Abastado, *Eugène Ionesco*, Bordas, 1971, p. 282.

1. En particulier :
N.C.N., p. 247 à
254 (« La tragédie
du langage »), et
p. 257 à 260 (« Naissance de la Cantatrice »).

a donné une explication devenue quasi légendaire [1]. Voulant apprendre l'anglais dans un manuel de conversation franco-anglaise – en l'occurrence la *Méthode Assimil* –, Ionesco s'aperçoit que les phrases destinées au néophyte, prises en elles-mêmes et pour elles-mêmes, et non comme un simple moyen d'acquérir des structures langagières, expriment une pensée « aussi stupéfiante qu'indiscutablement vraie » sur le plan universel, comme : « Le plancher est en bas, le plafond en haut. »

En outre les propos des personnages révèlent des vérités particulières cette fois, d'une évidence aussi aveuglante. Ainsi, Mme Smith informe son mari du nombre de leurs enfants, du lieu de leur domicile, de leurs noms, même. Les leçons suivantes proposaient au lecteur des vérités plus complexes, comme ce jugement comparatif sur la ville et la campagne : ici « la vie y est plus calme » mais là « la population y est plus dense ».

On aura compris que Ionesco joue ici au naïf avec un grand talent de pince-sans-rire, appréciable dans le passage suivant.

« C'est alors que j'eus une illumination. Il ne s'agissait plus pour moi de parfaire ma connaissance de la langue anglaise. M'attacher à enrichir mon vocabulaire anglais, apprendre des mots, pour traduire en une autre langue ce que je pouvais aussi bien dire en français, sans tenir compte du "contenu" de ces mots, de ce qu'ils révélaient, c'eût été tomber dans le péché de formalisme qu'aujourd'hui les maîtres de pensée condamnent avec juste raison. Mon ambition était devenue plus grande : communiquer à mes contemporains les

« Ayant tranché sa langue maternelle, l'artiste émigré fuit les conséquences de son acte. » Dessin chirographié d'Alechinsky. Texte de Pol Bury. Extrait de *Le Dérisoire absolu,* Éd. Daily Bul, 1980. Ph. Éditions Gallimard. © A.D.A.G.P., 1991.

vérités essentielles dont m'avait fait prendre conscience le manuel de conversation franco-anglaise. D'autre part, les dialogues des Smith, des Martin, des Smith et des Martin, c'était proprement du théâtre, le théâtre étant dialogue. C'était donc une pièce de théâtre qu'il me fallait faire. J'écrivis ainsi *La Cantatrice chauve,* qui est donc une œuvre théâtrale spécifiquement didactique » (*N.C.N.,* p. 249-250).

« Illumination » : une évidence s'impose, en même temps qu'une vocation (« qu'il me fallait écrire »). Des deux raisons données – des vérités à communiquer, la nécessité d'une forme théâtrale –, la première n'est pas à prendre seulement comme une plaisanterie. Car si les « vérités » proférées par les personnages sont creuses, elles dévoilent la véritable nature du langage. Depuis longtemps Ionesco était hanté par le sentiment de l'étrangeté du monde, manifeste surtout dans la banalité quotidienne. Le langage, qu'il reflète cette étrangeté ou qu'il la redouble par son inadéquation à l'Être, était l'objet essentiel du soupçon. Ainsi, dans la *Méthode Assimil,* Ionesco a pu vérifier, sous sa forme grotesque, la vacuité de la parole. Mais se dessinent alors les limites du rôle du manuel : sa lecture ne fonctionne pas comme une cause, mais comme la manifestation exemplairement bouffonne d'une tragédie du langage dont l'auteur était conscient auparavant. Le manuel ne fait que condenser ce qui est diffus dans le langage quotidien : « E. Ionesco : Au fond, je n'ai eu qu'à écouter les gens parler autour de moi. Ils parlaient comme on parle dans la *Méthode Assimil...* » (*E.C.B.,* p. 160).

La seconde raison (nécessité d'une forme théâtrale) se greffe sur la première. Le vide des dialogues d'*Assimil* met non seulement à nu le langage, mais lève chez Ionesco une de ses préventions à l'égard du théâtre. Il lui reprochait, on l'a vu, un grossissement maladroit mais apparemment inévitable. Il perçoit alors que « si donc la valeur du théâtre était dans le grossissement des effets, il fallait les grossir davantage encore... » (*N.C.N.*, p. 59). Les dialogues du manuel sont déjà des modèles : on ne peut reprocher à leur auteur la moindre velléité de nuance... Ionesco aura alors à accentuer l'« énormité » des phrases d'*Assimil* pour faire basculer l'ineptie dans l'insolite. Le florilège des sentences les plus étonnantes du manuel, sorte de bêtisier flaubertien, se transformera alors en une véritable création.

Pour important qu'il soit, il ne faudrait donc pas surestimer le rôle de l'étude de la *Méthode Assimil* en 1948. L'auteur ne déclare-t-il pas qu'il eut l'idée de la pièce bien avant cette date ?

« Les premiers essais d'écriture de *La Cantatrice chauve*, qui s'intitulaient alors *L'Anglais sans professeur*, je les avais déjà écrits en 1943, en Roumanie, et je peux facilement en fournir des preuves » (*La Quête intermittente*, p. 46). À la conscience ancienne d'une tragédie du langage, s'ajoute l'expérience professorale de Ionesco qui a enseigné le français en Roumanie et a connu bien d'autres manuels de langue. Son bilinguisme n'est pas étranger à sa faculté de prendre une distance critique pour juger du langage. En fait, Ionesco a choisi dans *Assimil* un certain nombre de points d'appui, des fragments de dialogue qu'il transforme le plus souvent, quelques sketches dont il s'inspire sur le plan de la construction dramatique.

On peut se demander alors pourquoi Ionesco, « illuminé » par la lecture d'*Assimil,* ne l'a pas été par des pièces ne lésinant pas sur la charge des effets, tournant en dérision les conventions théâtrales, bousculant le langage, toutes les pièces, de Jarry à Vitrac en passant par les dadaïstes, que l'on pourrait considérer comme autant de précédents à *La Cantatrice chauve* et à *La Leçon.* Or, s'il salue poliment certains de ses prédécesseurs, Ionesco ne se reconnaît pas une dette particulière à leur endroit. Son attitude à l'égard des influences qu'il aurait pu subir est très clairement définie par les lignes suivantes :

« On m'avait dit que j'étais influencé par Strindberg. Alors j'ai lu le théâtre de Strindberg et j'ai dit : "En effet, je suis influencé par Strindberg." On m'avait dit que j'étais influencé par Vitrac. Alors j'ai lu Vitrac et j'ai dit : "En effet, je suis influencé par Vitrac." On m'avait dit que j'étais influencé par Feydeau et Labiche. Alors j'ai lu Feydeau et Labiche et j'ai dit : "En effet, je suis influencé par Feydeau et Labiche." C'est ainsi que j'ai fait ma culture théâtrale. Pourtant, si j'ai été "influencé" par ces auteurs sans les avoir connus, cela veut dire tout simplement qu'un individu n'est pas seul. On croit à tort que, consciemment, délibérément, les gens décident de faire ou de ne pas faire certaines choses. En réalité, les préoccupations, les obsessions, les problèmes universels sont en nous et tous nous les retrouvons les uns après les autres. La grande erreur de la littérature comparée – du moins telle qu'elle était il y a vingt ans était de penser que les influences sont conscientes et même de penser que les influences existent. Or, très souvent les influences n'existent pas. Les choses simplement sont là. Nous sommes plusieurs à réagir d'une même façon. Nous sommes à la fois libres et déterminés » (*E.C.B.*, p. 57-58).

Ionesco ne refuse d'ailleurs pas certains rapprochements, avec Feydeau ou le Roumain Caragiale, par exemple, mais il marque nettement ce qui le distingue d'eux sur le fond. La convergence avec Jarry est plus notable. Interrogé par *Les Nouvelles littéraires* en 1960, il déclare : « Oui, dans *La Cantatrice chauve,* j'étais près de Jarry, mais ensuite je l'ai de moins en moins suivi. » Ionesco a pu être sensible à la violence, à la dérision des conventions théâtrales, à la parenté avec le théâtre de marionnettes qui caractérisent le cycle d'Ubu. Mais, pour se borner à ce point, sur le plan du langage l'influence de Jarry n'est guère perceptible (il n'en va pas de même pour *Jacques ou la Soumission*). Les influences, comme Ionesco le signale, seraient plutôt à chercher du côté des romanciers, des poètes, des philosophes. Mais, et pour cause, elles n'ont pu avoir un effet précis sur sa technique dramatique.

Alors, aucun maître ? À plusieurs reprises, Ionesco a reconnu l'importance des *Exercices de style* de Raymond Queneau (publiés en 1947, mis en scène dès avril 1949), pour l'apprenti dramaturge qu'il était alors : « J'ai écrit ma première pièce de théâtre, *La Cantatrice chauve*, vers 1948. Prisonnier moi-même du préjugé du "quelle en est la morale ?", du "à quoi cela sert ?", du "qu'est-ce que cela veut dire ?", du "quel est le but social de ce que vous avez fait ?", du "qu'est-ce que cela prouve ?" etc. je n'osais livrer cette œuvre au public jusqu'au moment où j'ai lu, par hasard, les *Exercices de style*. J'eus alors le courage de montrer ma pièce à R. Queneau. Mon texte lui plut. Il fut le premier à le soutenir, il fut le premier à en parler, il fit venir ses amis aux représentations de la pièce. C'était en 1950... [...] Raymond Queneau est mon maître » (*Temps mêlés*, 1978, nº 150 + 1, p. 19).

Cependant Ionesco ne s'est pas découvert son disciple *pendant* la rédaction de la pièce : Queneau a aidé à sa naissance sur la scène, non à sa conception comme texte, antérieure à la lecture des *Exercices de style*. Les similitudes entre les deux œuvres ont conforté Ionesco dans ses options esthétiques, il y eut rencontre et non filiation.

On ne prête qu'aux riches. La multiplicité des sources qu'on trouve à une œuvre met souvent en évidence son originalité. Les recoupements avec d'autres textes indiqués dans « Éclaircissements et notes » signaleront des rencontres : les écrivains peuvent se croiser comme des passants. Quant à la vocation théâtrale, si l'auteur a accrédité l'hypothèse d'une série de hasards (apprendre l'anglais, des amis que la pièce amuse, l'accueil de N. Bataille), on ne saurait oublier que, avant les vingt ans de mépris pour le théâtre, le très jeune Ionesco se plaisait à écrire des dialogues et était fasciné par Guignol. Le recours à la forme théâtrale inauguré par *La Cantatrice chauve* est peut-être aussi un retour vers d'anciennes exigences : « C'est en soi-même que l'on retrouve les figures et les schèmes permanents, profonds, de la théâtralité » (*N.C.N.*, p. 86).

II   LE TITRE

Il était une fois une institutrice blonde transformée par un pompier en cantatrice chauve... Ionesco a donné une version précise et séduisante du choix du titre de la pièce. Celle-ci, acceptée par N. Bataille, était mise en répétition. « Cependant, il fallait changer le titre [1]. Je proposai *L'Heure anglaise, Big-Ben folies, Une heure d'anglais,* etc. Bataille me fit remarquer, à juste raison, qu'on aurait pu prendre cette pièce pour une satire anglaise. Ce qui n'était pas le cas. On ne trouvait pas de titre convenable. C'est le hasard qui le trouva. Henri-Jacques Huet – qui jouait admirablement le rôle du Pompier – eut un lapsus linguae au cours des dernières répétitions. En récitant le monologue du *Rhume* où il était incidemment question d'une "institutrice blonde", Henri-Jacques se trompa et prononça "cantatrice chauve". "Voilà le titre de la pièce !" m'écriai-je. C'est ainsi donc que *La Cantatrice chauve* s'appela *La Cantatrice chauve* » (*N.C.N.*, p. 257-258).

1. *L'Anglais sans peine.* Voir l'article de N. Bataille dans le Dossier (extraits critiques).

Le hasard fit bien les choses, car la calvitie est un thème qu'affectionne l'auteur de la *Méthode Assimil* : « Quand un homme perd ses cheveux, il devient chauve ; quand une femme perd ses cheveux, elle se procure une perruque » (leçon 57). Dans la leçon 59, deux amateurs de théâtre se demandent si l'actrice Anna Barton porte une perruque. On lit plus loin : « Est-ce que cela vous ennuie beaucoup d'être chauve ? » (leçon 136).

Un titre est d'abord une promesse, il suscite une attente. Que promet le titre retenu par Ionesco ? Il réunit deux termes qui cohabitent mal. « Cantatrice » et « chauve » s'opposent d'abord comme le féminin au masculin. Cette contradiction est renforcée par ce qu'implique « cantatrice » : l'art noble de l'opéra, le prestige des divas. Seules une farce burlesque (échevelée ?) ou une pièce résolument kitsch oseraient exposer les heurs et malheurs d'une diva dégarnie. Or si la pièce est bien une comédie burlesque à la Marx Brothers (parenté acceptée par l'auteur), son intérêt ne se limite pas à cette dimension. En outre, ce titre se démarque de beaucoup d'autres puisqu'il ne désigne ni un personnage principal, ni un sujet. Son originalité ne vient pas du fait qu'il renvoie à un personnage que l'on ne voit pas, comme dans *L'Arlésienne* d'Alphonse Daudet, ni à un personnage dont l'existence est problématique, comme dans *En attendant Godot* de Beckett, mais qu'il se réfère à un faux (ou un anti) personnage qui n'existe que par le langage, très différent par exemple d'un Durand ou d'un Mackenzie pour lesquels on peut imaginer un référent. *La Cantatrice chauve* est un anti-titre, à ne pas prendre au premier degré mais à ne pas interpréter non plus comme une simple provocation amusante, en accord avec le sous-titre « anti-pièce » qui nous fournit le mode d'emploi de la pièce... et du titre.

Fonctionnant comme un leurre pour le spectateur qui ne sait rien de la pièce, le titre rend pourtant compte de plusieurs de ses aspects. Le burlesque et l'insolite sont les premiers perceptibles. Mais le personnage invisible de la Cantatrice, fantoche seulement nommé, représente aussi tous les autres fantoches de la pièce dont elle pousse l'improbabilité à la limite. Personnage tabou dont la seule évocation crée la gêne, comme un grotesque dieu caché, elle symbolise aussi l'angoisse des Smith et des Martin.

III   DRAMATURGIE

Si l'auteur récuse l'influence de modèles dramatiques – que ce soient Vitrac, Labiche ou Feydeau –, on a vu qu'il ne faisait pas mystère du point de départ de *La Cantatrice chauve* : la lecture studieuse d'un manuel de conversation pour anglicistes débutants. Source étrangère à la scène, mais assez proche du théâtre pour que la prise de conscience de la « tragédie du langage » incite à composer une pièce : « ... les dialogues des Smith, des Martin, des Smith et des Martin, c'était propre-

ment du théâtre, le théâtre étant dialogue »
(*N.C.N.*, p. 250 ; les personnages étant
ceux du manuel).

En outre, alors que plusieurs leçons ne
constituent qu'un vivier de lieux communs
et de platitudes fatiguées, certaines offrent
au moins l'embryon d'un développement
dramatique. Ainsi, dans la leçon 90 de la
Méthode Assimil, les Smith se querellent,
et la dispute s'achève en roucoulades : le
conflit naît, grossit, s'apaise ; scène de
ménage / scène de théâtre : la comédie a
depuis longtemps exploité la parenté et
Ionesco n'y manque pas à la fin de la
première scène.

Dialogues, théâtralité latente de certaines leçons – il n'empêche que la
Méthode Assimil ne pouvait offrir au mieux
que le canevas d'une série de sketches.
Certains critiques n'ont d'ailleurs vu dans
la première pièce de Ionesco qu'un collage
de saynètes sans lien évident : « Utilisant
des sketches, il les juxtapose sans aucun
lien », écrit Emmanuel Jacquart (*Le Théâtre de dérision*, p. 151). On verra que nous
ne partageons pas tout à fait ce point de
vue. L'auteur a bel et bien voulu écrire
une pièce et non un patchwork drolatique :
« Cela était devenu une sorte de pièce ou
une anti-pièce, c'est-à-dire une vraie parodie de pièce, une comédie de la comédie »
(*N.C.N.*, p. 252).

« Sorte de pièce »... « anti-pièce »...
« parodie » : métapièce en somme, qui
par-delà la destruction d'une forme laisse
reconnaître le modèle mis en pièce(s) ; si
l'auteur se propose de montrer « le
fonctionnement à vide du mécanisme du
théâtre » (*N.C.N.*, p. 254), il bâtit donc

QUI EST M. SMITH?

1 M. G.-D. Smith est (*un*) comptable dans une maison (*firme*) de la Cité. **2** Ses appointements sont (*son salaire est*) de 7 livres par semaine (*une sem.*). **3** La Cité, comme vous (le) savez probablement, est le quartier d'affaires de

Londres. **4** Elle est pleine de bureaux, (de) banques et (d') entrepôts. **5** Dans la journée, ses rues sont parmi les plus mouvementées de (*occupées dans*) Londres; **6** mais la nuit elles sont tout à fait vides, parce que personne (n')y habite. **7** M. S. demeure à Bromley (à) une demi-heure de ch. de fer (*demi une heure par train*) de la Cité. **8** Sa maison, dans (la) rue de l'Eglise, est (l') une d'une quarantaine (*à peu près* 40) qui sont exactement les mêmes.

sur les ruines de la comédie une construction qui doit fonctionner... comme une
pièce. C'est à quoi est sensible P. Vernois
lorsqu'il écrit : « La *Cantatrice* offre le
piquant d'une pièce bien faite sous les
apparences trompeuses d'une bouffonnerie
anarchique » *(La Dynamique théâtrale
d'Eugène Ionesco)*. Idée à laquelle on peut
souscrire à condition d'expulser de « bien
faite » ce que l'expression peut impliquer
pour quelques-uns : le maniement de
ficelles éprouvées par un auteur habile, en
somme ce qu'on appelle le « métier ». *La
Cantatrice chauve* n'est pas bien faite
comme les comédies dont elle est la
comédie ; sinon, elle ne serait plus qu'une
comédie parmi d'autres, seulement plus
bouffonne. Mais elle possède ce qui lui
permet d'atteindre son but : une cohérence
et un mouvement dramatique.

UNE FORME COHÉRENTE.

Globalement, *La Cantatrice chauve* présente une structure générale d'une grande
simplicité. Dans « un intérieur bourgeois »,
un couple converse. Les apparitions de la
bonne, la visite d'un couple d'amis, le
passage d'un capitaine tout feu tout
flamme suffisent à mener la pièce à son
terme. Schéma identique à celui de bien
des comédies de mœurs et de vaudevilles :
des couples se retrouvent chez d'autres
couples, une bonne sème le désordre, un
personnage un peu marginal vient brouil-
ler les cartes. Dans *Le Dîner bourgeois*
d'Henry Monnier (1830), les époux Joly
se chamaillent avant l'arrivée de quelques

amis, la bonne vient aux ordres ; les amis arrivent, fort identiques à leurs hôtes – seul un Anglais qui ne comprend rien se différencie des autres personnages. On parle. La pièce s'achève.

Mais dans *La Cantatrice chauve*, cette forme générale convenue est sans cesse menacée d'éclatement par le comportement imprévisible des personnages, ou brouillée par des événements insolites. Par exemple, les scènes IV, V, VI ne présentent pas une nécessité absolue suivant des critères traditionnels. Que les Martin ne se reconnaissent pas, puis découvrent qu'ils sont mari et femme n'apparaît pas indispensable à l'action, ces scènes forment une sorte de parenthèse. La preuve en serait que les Smith, véritables piliers de la pièce, présents dans toutes les autres scènes (sauf la très courte scène III), ne sont justement pas là. Pourtant, leur départ à la fin de la scène II a sa raison d'être : leur sortie est une dérision du « truc » dramatique qui consiste pour l'auteur à imaginer un prétexte pour faire quitter la scène à un personnage. Ficelle ici cousue de fil blanc puisque les Smith reviennent dans la même tenue après avoir annoncé qu'ils allaient changer de vêture (sont-ils allés « faire dodo », comme le proposait, peut-être métonymiquement, M. Smith à la fin de la première scène ?). Leur absence, pourrait-on penser, s'imposait probablement pour faire progresser l'action ou informer le spectateur d'un événement important que les Smith devaient ignorer. Ainsi, dans le théâtre de boulevard, un mari peut opportunément quitter le salon pour laisser ensemble son épouse et un amant passé, présent ou à venir. Même pas ! Puisque, au début de la scène VI, M. Martin déclare : « Oublions, darling, tout ce qui ne s'est pas passé entre nous. » Nous avons appris, au bout du compte, que les Martin sont les Martin. Pas du tout, dira-t-on, Mary a prouvé le contraire ! Quelle importance, puisqu'elle conclut : « Laissons les choses comme elles sont » (p. 32), se comportant en Sherlock Holmes avisé qui sait que dans cet univers de marionnettes, Martin ou Watson, tout est factice et interchangeable. Parenthèse eu égard aux principes habituels de l'intrigue, cet ensemble de scènes n'est donc pas gratuit, car son lien avec le reste de la pièce est thématique ; s'y inscrivent des thèmes forts de l'œuvre : le brouillage des identités (les Martin sont et ne sont pas les Martin ; la bonne n'est-elle que la bonne ?), la dérision de la raison raisonnante (tant de déductions pour en arriver là...). En outre, après ce détour, la direction initiale de la pièce réapparaît avec le retour des Smith au salon. La quête de l'identité du couple Martin n'a pas dénaturé le sens de l'action.

Cette simplicité de la forme générale de *La Cantatrice chauve*, bien qu'elle soit un élément favorable à la cohérence de la pièce, ne suffit évidemment pas à elle seule à en faire l'unité. Parmi les autres facteurs, on peut relever l'unité de lieu, qui permet la concentration de l'action dans le salon des Smith, terrain de rencontre au même titre que la « chambre du palais » dans le théâtre classique (« la maison d'un Anglais est son vrai palais »...), surtout la construction circulaire de la pièce sur

laquelle nous insisterons puisqu'elle joue
à différents niveaux.

LA FORME CIRCULAIRE : L'ACTION.

À la fin de la pièce, alors que les
personnages et le langage se désarticulent
dans le bruit et la fureur, se brisent en
« mille morceaux » comme le front du
renard de la fable racontée par M. Smith,
que l'obscurité envahit le plateau, silence
et lumière reviennent brusquement. Les
morceaux sont recollés. Les Martin reprennent le rôle initial des Smith. Cette
permutation est un signe supplémentaire
du néant des personnages puisqu'ils sont
interchangeables. Cependant, pour « lumi-
neuse » que soit cette idée (note de l'auteur,
C.C., p. 80), ce n'est pas sur ce point
que porte la signification essentielle de
la forme circulaire, car cette substitution
ne fut opérée qu'après la centième représentation.

L'important réside dans l'action, la
pièce recommence à l'infini comme le
suggère la reprise du texte d'exposition et
des premières répliques.

Si la tragédie est la résolution d'une
crise, et la comédie d'un problème plus ou
moins sérieux, le dénouement dans sa
forme classique ne peut être ici qu'aboli.
Rien ne sera résolu parce qu'il n'y avait
rien à résoudre : les personnages et
l'intrigue sont quasi nuls. Rien n'est réglé
non plus parce que le langage n'a pas de
fin. Seule force agissante de la pièce, la
machine langagière est animée d'un mouvement perpétuel. Le dénouement classique est exclu soit parce qu'il n'y a rien à

dénouer, soit parce que le nœud est inextricable.

« E. Ionesco : C'est la mort qui clôture une vie, une pièce de théâtre, une œuvre. Autrement, il n'y a pas de fin. C'est simplifier l'art théâtral que de trouver une fin et je comprends pourquoi Molière ne savait pas toujours comment finir. S'il faut une fin, c'est parce que les spectateurs doivent aller se coucher.

C. Bonnefoy : Si les spectateurs n'avaient pas sommeil, on pourrait imaginer un théâtre permanent.

E. Ionesco : Il existe, en fait. On lève le rideau sur quelque chose qui a commencé depuis longtemps, on le ferme parce qu'on doit s'en aller, mais derrière le rideau, cela continue indéfiniment. La construction d'une pièce est artificielle avec un commencement et une fin. En réalité, il faudrait une construction beaucoup plus complexe permettant qu'il n'y ait pas de fin, ou pas de construction, pas de cette sorte de construction, une transposition des événements » (*E.C.B.*, p. 95).

Dans *La Cantatrice chauve,* les dernières répliques rejoignent les premières pour dessiner un cercle, la facticité de toute fin est à la fois soulignée et déjouée. La structure circulaire conjugue l'impossibilité d'une fin et la nécessité de terminer la représentation, en rendant sensible l'absence de dénouement.

Pourtant Ionesco avait prévu la possibilité de fins différentes. « J'avais envisagé une fin plus foudroyante. Ou même deux, au choix des acteurs. Pendant la querelle des Smith et des Martin, la Bonne devait faire de nouveau son apparition et annoncer que le dîner était prêt : tout mouvement devait s'arrêter, les deux couples devaient quitter le plateau. Une fois la scène vide, deux ou trois compères devaient siffler, chahuter, protester, envahir le plateau. Cela devait amener l'arrivée du directeur du théâtre suivi du commissaire, des gendarmes : ceux-ci devaient fusiller les spectateurs révoltés, pour le bon exemple ; puis, tandis que le directeur et le commissaire se félicitaient réciproquement de la bonne leçon qu'ils avaient pu donner, les gendarmes sur le devant de la scène, menaçants, fusil en main, devaient ordonner au public d'évacuer la salle » (*N.C.N.*, p. 258-259).

Pour des raisons matérielles qui rendaient ce projet difficile à réaliser, l'auteur avait prévu un autre dénouement :

« Au moment de la querelle des Martin-Smith, la Bonne arrivait et annonçait d'une voix forte : "Voici l'auteur !"

Les acteurs s'écartaient alors respectueusement, s'alignaient à droite et à gauche du plateau, applaudissaient l'auteur qui, à pas vifs, s'avançait devant le public, puis montrant le poing aux spectateurs, s'écriait : "Bande de coquins, j'aurai vos peaux." Et le rideau devait tomber très vite.

On trouva cette fin trop polémique, et ne correspondant pas, d'ailleurs, avec la mise en scène stylisée et le jeu "très digne" voulu par les comédiens.

Et c'est parce que je ne trouvais pas une autre fin, que nous décidâmes de ne pas finir la pièce, et de la recommencer. Pour marquer le caractère interchangeable des personnages, j'eus simplement l'idée de remplacer, dans le recommencement, les Smith par les Martin[1] » (*N.C.N.*, p. 259).

Par leur violence burlesque, leur aspect provocateur, leur facture dadaïste en somme, on voit bien ce que ces trouvailles avaient de séduisant. Dans les deux fins la frontière entre la scène et le public était abolie, entre l'auteur et les personnages dans la seconde, la théâtralité de l'œuvre était mise en évidence et en même temps la pièce explosait à la figure des spectateurs... Mais si l'impossibilité du dénouement était rendue de façon plus humoristique et plus spectaculaire que dans la version adoptée finalement, la permanence de la « tragédie du langage » était moins sensible.

En fait, l'interrogation de l'auteur sur la fin de *La Cantatrice chauve* a sa source dans deux tentations de son théâtre, sensibles dans de nombreuses pièces. La première est marquée par le goût des fins apocalyptiques. Dans *Scène à quatre,* par exemple, la Dame, tiraillée de plus en plus violemment par ses soupirants, perd d'abord ses souliers, un gant, son chapeau et pour finir, après sa jupe, ses bras, une jambe, ses seins. La seconde combine le paroxysme final avec la répétition d'une situation initiale : c'est le cas de *La Leçon* ou de *Délire à deux*. La première est probablement la plus ancienne ; enfant, Ionesco avait écrit un scénario de film : des enfants réunis pour goûter cassaient les tasses, puis les meubles, enfin jetaient leurs parents par la fenêtre (schéma repris dans le scénario *La Colère*). Et les premières fins envisagées pour sa première pièce furent bien de ce type.

Tout se passe comme si Ionesco avait trouvé, dans la fin retenue pour *La Cantatrice chauve*, le moyen de concentrer deux manifestations du néant : la destruction totale et la répétition [annihilant] la vie, tout en n'excluant pas des interprétations où le caractère d'œuvre ouverte de la pièce serait préservé.

LA FORME CIRCULAIRE : LE LANGAGE.

Le mouvement circulaire n'est pas uniquement dessiné par le retour des répliques initiales. Au début de la pièce, le dialogue ne s'élève pas au-dessus du degré zéro du langage : dans les propos de Mme Smith règne absolument « le langage collectif, le langage impersonnel du "On" dont nous entretenait Heidegger » (*P.P.*, p. 209), avec pour seul écho les claquements de langue de M. Smith dont on ne peut dire, quelle que soit l'interprétation qu'on en donne (*cf.* « Éclaircissements et notes »), qu'ils soient riches de significations captivantes. Or les dialogues qui s'engagent, des premiers mots prononcés par M. Smith jusqu'au départ du Capitaine des Pompiers, sont autant qu'on le voudra délirants, absurdes, mais au moins ils caricaturent le plus souvent un échange verbal. Le soldat du feu parti, le langage retombe rapidement dans le néant. Bien sûr, les différences entre le début et la fin de la pièce sautent aux yeux : dans la scène XI la violence ravage les mots, le poème de Mary puis la sortie du Pompier ont incendié le langage, alors que le débit monotone de Mme Smith dans la première

« Enfin de quoi s'agit-il ? » Extrait de *La Cantatrice chauve.* Gallimard, 1964.
Typographie de Massin. Photo-Graphie d'Henry Cohen.

phase de la scène I évoque plutôt un robinet qui coule. La destruction des minables instruments (phrases/mots/syllabes) qui permettaient au langage collectif de fonctionner distingue la fin de la pièce de son début. Cela précisé, l'enchaînement rapide entre la fureur finale et le retour au calme initial nous rend sensible la parenté entre ces deux formes d'affaissement du langage.

« Tiens, il est neuf heures » après les dix-sept coups de la pendule ne vaut ni plus ni moins que « Teuff, teuff, teuff... » ou « c'est pas par là, c'est par ici ». Les premières répliques qui, répétées, deviennent dès lors les dernières à la représentation, revêtent un aspect nouveau : leur platitude apparaît plus inquiétante, lourde des délires venus ou à venir.

Aussi la pièce forme-t-elle une révolution : mouvement circulaire, ébullition finale pour rien puisqu'on retourne au point de départ. Les marionnettes de *La Cantatrice chauve* sont emportées par la grande rotation monotone du Temps.

LES THÈMES RÉCURRENTS.

La forme générale de *La Cantatrice chauve* est donc caractérisée par la répétition, signe du vide, de la mort tragique des mots. Signe tout autant du grotesque, du comique permanent du langage. Nous retrouvons cette figure dans le retour de certains thèmes, dont la reprise contribue aussi à l'unité de la pièce. Là encore, bien sûr, ces thèmes récurrents n'ont pas pour seul intérêt de structurer le matériau théâtral.

Du « feu anglais » du début à l'électricité et au charbon qui réchauffent (p. 71), le thème du feu court pendant une bonne partie de la pièce, avec le Pompier en quête d'incendies (le sujet, abordé de la p. 50 à la p. 53, est repris à la scène X), avec le poème enflammé de Mary, constituant ainsi un facteur d'unité. Il revêt certes d'autres aspects : métaphore érotique dans la scène IX (et peut-être dès la scène VIII, p. 50), symbole de destruction du réel, image obsédante aussi, caractéristique de l'œuvre de Ionesco. L'auteur exploite comme un filon le champ sémantique du feu : la violence – « Pourquoi craches-tu du feu ? » (p. 21) –, la flamme amoureuse – « c'est elle qui a éteint mes premiers feux » (p. 66) –, la tension du désir – « nous sommes sur des charbons ardents » (p. 60). Mais ces aspects assez étrangers à la dramaturgie ne sont pas sans incidences sur elle : l'image du feu destructeur synthétise, par sa force symbolique, les multiples signes de désintégration disséminés dans la pièce.

Thème essentiel aussi, encore plus présent que le précédent : les liens de parenté. Ce sera dans le microcosme social de la famille, surtout à travers le couple, que Ionesco, dans nombre des pièces ultérieures, montrera l'Homme dans son rapport au monde. La solitude et l'étrangeté radicale de l'individu se manifesteront alors de la façon la plus tragique et la plus incongrue. Dans *La Cantatrice chauve*, cette donnée, particulièrement centrale dans *Amédée ou comment s'en débarrasser* par exemple, n'est pas fondamentale. Certes la première scène et la quatrième caricaturent la solitude à deux vécue dans le couple. Mais il s'agit surtout d'une manifestation parmi d'autres d'un style général de communication. Mme Smith ne « communique » ni mieux ni moins bien avec son mari qu'avec le Pompier ou M. Martin. Toutes les relations sont mesurées à la même aune. Pour ces êtres plats, aucun effet de relief qui permette aux relations dans le couple de se détacher de manière significative sur le fond des rapports sociaux ordinaires. Ce n'est pas tant de couple qu'il s'agit que des rapports abstraits entre des êtres sans existence propre. De même que le langage des personnages opère comme un mécanisme indifférent aux mots qu'il raccorde, le système de parenté fonctionne dans *La Cantatrice chauve* pour sa seule capacité à engendrer à vide des relations formelles.

Les liens de parenté sont à la fois la clef de voûte des sociétés et le sujet privilégié de la « parlerie », deux raisons suffisantes pour en faire un axe de la pièce. On y trouve des variations sur la famille : avec papa et maman Smith « les choses sont simples », comme dirait le Pompier ; pour les Martin, elles le sont moins, car l'Alice de l'un n'est peut-être pas l'Alice de l'autre, et quand on arrive à l'anecdote du jeune veau et de sa fille la vache (p. 56), la logique des liens familiaux est sens dessus dessous. Grâce à *La Cantatrice chauve,* nous saurons tout de la nature d'un clan familial à travers la Bobby Watson Saga, puisqu'on pousse le souci d'appartenance jusqu'à donner le même prénom à tous les membres de la tribu. Et après tout pourquoi pas, puisque les Smith et les

Martin sont interchangeables. Enfin, qui se plaît aux subtilités des liens de parenté trouvera son bonheur dans « Le Rhume »... Un relevé portant sur les trente premières répliques de la scène XI nous donne 7 phrases faisant allusion aux liens familiaux. Il n'est guère de scènes ou d'épisodes qui ne se réfèrent à ce thème. Même un personnage aussi « extérieur » que le Pompier est capté dans le filet : « Mme Smith : ... Je te prie de ne pas mêler les étrangers à nos querelles familiales. – M. Smith : Oh, chérie, ce n'est pas bien grave. Le Capitaine est un vieil ami de la maison. Sa mère me faisait la cour, son père, je le connaissais. Il m'avait demandé de lui donner ma fille en mariage quand j'en aurais une. Il est mort en attendant » (p. 44). Ce n'est pas par hasard que toute référence de ce genre disparaît après « À bas le cirage ! » (p. 74) ; la disparition du thème coïncide avec l'écroulement de l'armature d'un langage dont elle constitue le fond primitif.

À des thèmes aussi prégnants que le feu ou la parenté, s'ajoutent des reprises ponctuelles de thèmes mineurs qui tissent un réseau de « motifs ». Comme un peintre joue sur des rappels de couleurs, Ionesco ménage des échos ou des effets de miroir. Par exemple, des lieux communs sur la conjoncture économique morose (p. 51-52) « riment » avec les remarques désabusées des épouses sur le coût de la vie (p. 37). La réplique de M. Martin : « Même si elle peut faire, parfois, un assez bon détective » (p. 67), renvoie évidemment à la métamorphose de Mary en Sherlock Holmes à la scène V. Les rappels ne sont pas de simples clins d'œil. Dans le premier exemple les personnages tombent et retombent dans une des ornières bien connues du langage collectif : tout f... le camp. Le second ressortit à l'insolite généralisé de la pièce. D'où vient la perspicacité soudaine de M. Martin ? Ne dormait-il que d'un œil ou d'une oreille pendant la scène V ? Ou est-il tombé sur une idée pertinente par hasard, comme on gagne à la loterie ? Autres échos : la petite Alice pourrait bien dire un jour à l'un des époux Martin : « Je ne suis pas ta fille », comme le renard de la fable de M. Smith (p. 58). Quand Mme Smith déclare : « Je ne sais pas assez d'espagnol pour me faire comprendre » (p. 73), elle montre qu'elle n'a pas la compétence linguistique d'un personnage du « Rhume » (« ... une tante parlant couramment l'espagnol... »). Lorsque M. Martin affirme : « Oh ! vous les femmes, vous vous défendez toujours l'une l'autre » (p. 41), il fait écho à la guerre des sexes qui bat son plein à la fin de la première scène (p. 20-21). Parfois, on rencontre des rappels plus discrets : les « c'est pas par là, c'est par ici », vociférés dans la dernière scène rappellent la fin du « Bouquet » : « Et s'éloigna par-ci, par-là » (p. 59).

Enfin, des analogies apparaissent entre des éléments structurels de la pièce : à la pendule infernale répond la sonnette démoniaque, la scène de reconnaissance entre les Martin fait pendant à la rencontre entre le Pompier et la Bonne.

De la forme générale à des détails récurrents, on peut donc voir à l'œuvre des forces organisatrices qu'il ne faudrait pas sous-estimer.

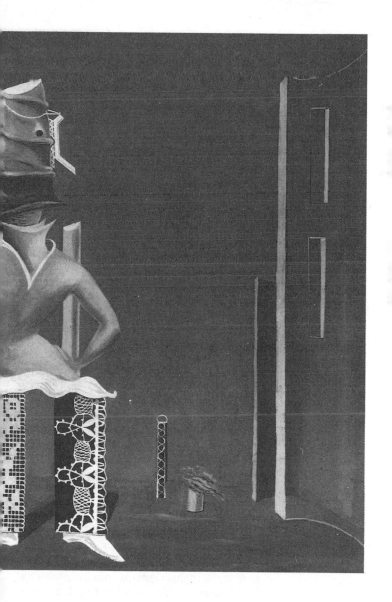

Max Ernst : *Le Couple*. Museum Boymans van Beuningen, Rotterdam. Ph. du Musée.
© A.D.A.G.P. et S.P.A.D.E.M., 1991.

LE MOUVEMENT.

Les personnages étant des coquilles vides et l'intrigue bien fluette (« Words, words », chez les Smith), on peut s'interroger sur la nature du mouvement dramatique dans *La Cantatrice chauve*. Le début est d'ailleurs totalement statique : non seulement les époux semblent rivés à leurs fauteuils, mais les claquements de langue de M. Smith sont aussi peu allègres que les sonneries de la pendule, et le discours de Mme Smith juxtapose truismes et inepties dans une sorte de présent figé. Le silence menace d'une glaciation définitive un langage mortellement factice. Immobilisme et silence hypothèquent tout mouvement. Les Smith n'auraient-ils plus qu'à « aller faire dodo » (p. 21) plus tôt que prévu ? Or la pièce trouve justement son rythme dans la tension entre ce qui la met en péril et des éléments moteurs qu'il nous faut préciser.

LES INCERTITUDES DE LA LOGIQUE ; L'AGRESSIVITÉ.

Dans la première scène, les deux premières interventions de M. Smith, à propos du docteur Mackenzie, puis de l'âge des nouveau-nés, sont déterminées par une difficulté logique. Dans les deux cas, M. Smith se heurte à une contradiction : la première fois il la découvre chez sa femme, la seconde il est perplexe devant un « non-sens ». De même, de la p. 39 à la p. 49, le moteur du dialogue est essentiellement alimenté par le problème logique posé par la sonnette. De façon générale, les personnages semblent possédés par la rage de raisonner : mais encore faut-il que l'interlocuteur ne s'accorde pas un temps de répit et soit toujours disposé à renvoyer la balle. Dès la première scène, Mme Smith se montre une excellente partenaire dans l'échange verbal concernant Mackenzie. Solide en défense (« Parce que l'opération a réussi chez Parker », p. 14), incisive dans la contre-attaque (« Pourquoi ? », p. 14), point maladroite dans le contre-pied (« on ne peut comparer le malade à un bateau », p. 15), habile à préparer un joli coup après avoir feint de capituler (« Ah je n'y avais pas pensé... c'est peut-être juste... et alors quelle conclusion en tires-tu ? », p. 15). Mais dès que l'accord se réalise (M. Smith : « Naturellement »), le silence s'installe. Or Mme Smith peut refuser le match verbal ; ainsi, la relance de M. Smith sur l'âge des nouveau-nés tombe à plat : « Je ne me le suis jamais demandé », réplique Mme Smith. Suit un silence...

En réalité, la logique n'est qu'un moyen d'avoir barre sur l'autre, l'occasion d'un conflit qui permet aux personnages d'accéder à un mode dérisoire d'existence et en même temps de dynamiser l'action théâtrale. L'agressivité est à la source de ce prurit de raisonnements. Elle peut être manifeste, éclater même violemment, comme à la fin de la première et de la onzième scène, ou demeurer latente. Cette forme de violence souterraine apparaît dès le début de la pièce, lorsque Mme Smith truffe ses vérités premières de piques à l'égard de son mari. Si l'ensemble du texte revêt la forme d'une révolution, il est scandé par des révolutions minuscules qui impriment des tensions puis ménagent des trêves provisoires. Guerre froide, hostilités soudaines, armistices fragiles assurent le fonctionnement du mécanisme dramatique et la respiration du texte, alternant parfois très rapidement : « M. Smith : Il se repose, il dort. – Mme Smith : Mais pourquoi ne travaille-t-il pas pendant ces trois jours s'il n'y a pas de concurrence ? – M. Smith : Je ne peux pas tout savoir. Je ne peux pas répondre à toutes tes questions idiotes ! » (*C.C.*, p. 20) – voire se mêlant : « M. Smith : Il ne faut pas interrompre, chérie, vilaine » (*C.C.*, p. 37). La querelle qui termine la première scène est de ce point de vue exemplaire. En quelques phrases, la tension est chauffée à blanc, puis on retombe dans la tiédeur du « Home, sweet home » – préfiguration du passage final de la fureur au calme des premières répliques.

En outre, le mouvement provoqué par l'agressivité est renforcé par les alliances stratégiques que concluent les Smith et les Martin au cours de la pièce. Au début de la scène VII, les deux couples forment deux camps distincts, mais à partir du coup de sonnette les alliances se renversent : les hommes font bloc contre les femmes : « M. Martin : Oh ! vous les femmes, vous vous défendez toujours l'une l'autre. – Mme Smith : Ah ! ces hommes qui veulent toujours avoir raison et qui ont toujours tort ! » (*C.C.*, p. 41).

Les quatre personnages se retrouvent bourgeoisement unis pour repousser l'incursion de la Bonne à la scène IX, ou pour réagir de la même manière à la question scandaleuse du Pompier : « Et la Cantatrice chauve ? » Comme au jeu des quatre coins, les personnages sont toujours situés par rapport aux autres, non du point de vue psychologique bien sûr, mais sur le plan tactique : ces pactes sont purement abstraits, les personnages n'étant pas mus par un caractère ou leur intérêt, mais déterminés par un mécanisme social (les convenances, les a priori sur les sexes). Le chassé-croisé n'est pas constant – Ionesco n'est pas Feydeau –, il peut arriver qu'une paix générale annule les déplacements d'alliance : ainsi dans la scène VIII les deux couples et le Pompier se livrent aux délices d'une entente cordiale mais passagère.

ÉVÉNEMENTS.

À personnages dérisoires, événements infimes, qui nourrissent pourtant l'action-conversation. Le salon est le centre d'un monde rétréci à la mesure des Smith/Martin : on ne rêve pas d'Andrinople, on en reçoit un spécialiste ès yaourts qui, comme Durand, s'intègre au paysage des environs de Londres. Dans son journal, M. Smith ne s'intéresse qu'à la rubrique locale de l'état civil. Au théâtre de la Huchette, l'acteur lit le *Financial Times*. Connotation d'ennui, d'esprit de sérieux, de « soirée anglaise », bien sûr ; coup de pouce à l'absurde certes (le *Financial Times* ne publie pas de nécrologie suburbaine) ; mais encore plus signe de l'esprit du salon petit-bourgeois : on y apprivoise le vaste monde en n'en retenant que ce qu'on en connaît déjà. Centre de l'univers donc, mais l'ouverture du compas est très faible !

Les échos de l'extérieur se réduisent aux allusions aux voisins, à la sortie de Mary, aux anecdotes et faits divers. À première vue, ces échos ne font qu'alimenter le dialogue sans exercer d'effet sur la progression de la pièce, puisque les événements qui dérangeraient le conformisme des personnages sont ignorés ou phagocytés par leur pensée déshumanisée.

Mme Smith aux époux Martin : « Vous qui voyagez beaucoup, vous devriez pourtant avoir des choses intéressantes à nous raconter » (p. 36). Mais les Martin, qui ont au moins promené leur humeur vagabonde sur la ligne Manchester-Londres, n'ont pas tiré de leurs voyages des expériences bouleversantes. Et certes elles paraissent extraordinaires dans ce monde à l'envers où les rapports de l'insolite et du banal sont inversés. Mais les événements extérieurs retenus offrent un miroir aux personnages : « le monsieur qui lisait tranquillement son journal » (p. 58) est le reflet de M. Smith au début de la pièce. Rien d'étonnant alors à ce que l'évocation du monde extérieur soit parfois l'occasion d'un consensus (sur le coût de la vie, les affaires, etc.).

Si le fracas de l'Histoire meurt au seuil de la maison des Smith, assiste-t-on au moins, dans leur petit cercle, à des événements dignes de ce nom ? Prenons l'exemple de l'arrivée des Martin : elle empêche la pièce de s'arrêter, mais n'infléchit pas le cours des choses. Ce n'est même pas un incident (les attendait-on ou pas ?). Les Martin sont des duplicata des Smith, on passe du duo au quatuor mais on joue toujours la même partition. Si, au début, les exécutants se gênent plutôt (*cf.* p. 34-35), ensuite l'apport des Martin relance le dialogue sans en modifier la tonalité.

Pourtant, les Smith et les Martin sont perturbés par des événements apparemment anodins mais qui les agressent d'autant plus qu'ils ne peuvent les censurer ni les réduire comme les échos d'un monde plus lointain. Ceux-là apportent le scandale, les personnages ne sont plus de plain-pied avec eux ; pris de court, ils se débattent et le rythme de la pièce s'accélère. Ainsi de la sonnette : si elle est moins bavarde que la pendule, elle est plus productive ; elle engendre le grand débat sur la causalité (p. 39-49), crée des antagonismes, échauffe les esprits. Est-ce à dire que les événements perturbateurs ont une répercussion sur l'action ? Ce qui frappe plutôt, c'est le caractère en général éphémère de leurs conséquences. La discussion à propos de la sonnette semble nulle et non avenue une fois que le Pompier a réconcilié tout le monde. De même, la brûlante scène IX. Centrée sur la péripétie par excellence, la reconnaissance entre deux personnages, elle paraît laisser quelques traces : « Ça m'a donné froid dans le dos », confesse Mme Martin, mais très vite le Capitaine : « ... ça c'est ma conception du monde... mon rêve... mon idéal... et puis ça me rappelle que je dois partir » (p. 70), et l'on passe à d'autres feux, comme si de rien n'était. Dans la scène IV, l'action paraît s'enliser de manière catastrophique, les Martin mettent toute une scène à devenir les Martin ; dans la scène VI on retrouve la case départ : « Oublions, darling, tout ce qui

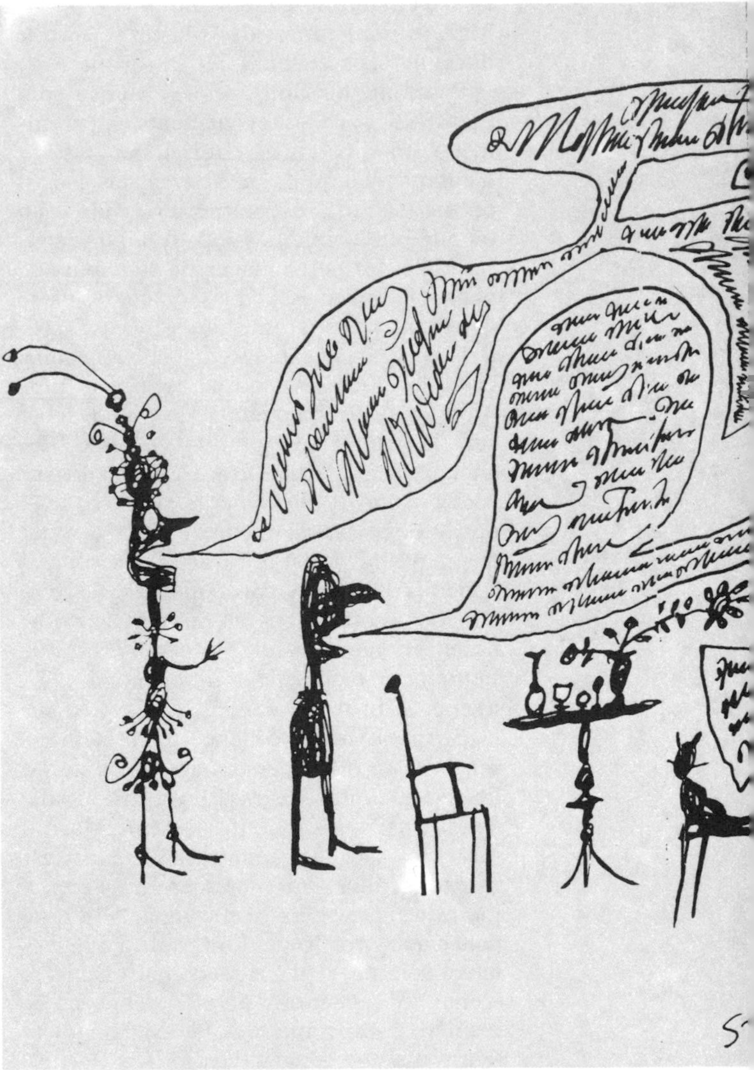

Steinberg : dessin pour la couverture de *La Cantatrice chauve,* Gallimard, 1972.

ne s'est pas passé entre nous. » On ne saurait mieux dire que M. Martin : événement, non-événement, quelle différence au fond puisque tout est frappé de nullité ? L'irruption de Mary alias Sherlock Holmes, parodie d'un effet dramatique qui serait destiné à relancer l'action, n'a aucune influence sur elle : « Laissons les choses comme elles sont » (p. 32).

En fait le départ du Pompier est le seul événement dont les effets soient manifestes. Ce visiteur du soir a déclenché le désordre chez les Smith, mais cette impulsion dramatique n'intervient qu'à la fin de la pièce.

Privés d'effet, les événements sont donc des non-événements, ce qui n'est guère surprenant dans une « anti-pièce ». Comme les phrases des personnages se diluent aussitôt que prononcées, les événements ne se survivent pas dans des conséquences sur l'action. Alors il ne se passerait donc rien ?

Qu'il n'y ait pas d'intrigue, le fait a été suffisamment souligné depuis 1950. Mais il ne faut pas oublier où se situe la véritable action de la pièce : l'agonie du langage. À cet égard, les « événements » retrouvent leur statut et leur efficacité : ils font produire du langage et contribuent en même temps à le détraquer, au même titre que l'agressivité des personnages et les problèmes de logique qu'ils se posent. Ces pseudo-incidents permettent de conjurer le silence : ainsi le retour de Mary à la scène II retourne la situation ; au silence du sommeil les Smith devront substituer la palabre avec les Martin. Enfin, puisqu'ils tiennent leur place dans l'entreprise de subversion du langage, et du langage théâtral en particulier, il n'est pas étonnant que ces événements aient un aspect parodique. La scène de reconnaissance entre Mary et le Capitaine, parodie de la tragédie grecque aussi bien que du mélodrame, en est la meilleure illustration.

Aristote, dans *La Poétique*, précise qu'une bonne reconnaissance doit allier vraisemblance et pathétique. Il est inutile de s'étendre sur la dérision de ces deux principes dans la scène IX. Qu'on pense simplement à l'hystérie loufoque de Mary. On sait que la parodie utilise, en les décalant, les mêmes procédés que son modèle. On retrouve ainsi dans la scène IX les ingrédients du mélodrame : l'innocence persécutée (la Bonne victime des bourgeois), l'amour vainqueur des distances sociales (le Pompier est capitaine, son casque est le signe de son prestige, comme son sabre pour M. Prudhomme), l'émotion intense des personnages (« Mary se jette au cou du Pompier », p. 65). Les « Oh mais c'est elle !... Pas possible ! Ici ? » renvoient aux traditionnels « Ah ! ma mère ! Ah ! mon fils ! Ah ! ma sœur ! » des mélodrames du début du XIXᵉ siècle. Mary et le Pompier ne se sont pas aussitôt reconnus ; « ici » souligne le caractère inouï de la rencontre : la surprise du coup de théâtre est dans la veine des « mélos » éprouvés. Ionesco exploite les virtualités burlesques de ces ficelles, les caricature en poussant à l'extrême le jeu (à la scène Mary se cramponne au Pompier) ou en le faussant : le formel « heureux de vous revoir » est décalé par rapport à l'émotion supposée.

Si nous avons insisté sur cette scène parodique, c'est que l'événement y apparaît avec toute sa force dynamique sur le plan de la seule action de *La Cantatrice chauve,* la tragédie burlesque des mots.

Nicolas Bataille avait appelé « incidentes » les irruptions brusques du bizarre dans la pièce, comme les mots « apothéose » (p. 14), « elle a cru que c'était son peigne » (p. 52), et bien sûr l'allusion à la Cantatrice. Annonciatrices de catastrophes, ces « incidentes » qui relèvent pourtant du seul langage constituent de véritables *événements* qui précipitent les personnages vers la crise finale.

Ainsi échos du monde ou événements, qu'ils permettent l'accord des personnages ou qu'ils les affolent, forment par leur combinaison une anti-intrigue, ou si l'on préfère rendent sensible l'absence d'intrigue ; mais en engendrant des tempêtes ou des accalmies dans le langage, ils alimentent la dynamique de la pièce.

IV   LA LOGIQUE
SANS PEINE

« Le Vieux Monsieur : C'est très beau, la logique. – Le Logicien : À condition de ne pas en abuser » (*Rhinocéros,* acte I). Eh bien, les Smith et les Martin en usent et en abusent ! Ils ne se contentent pas d'aligner des lieux communs consternants, ils produisent une combinatoire logique étonnante par les résultats insolites auxquels ils parviennent comme par la variété des formes de raisonnements utilisées. Ionesco déclarait en 1958 à ce propos : « Je me permets d'attirer votre attention [...] sur la démarche cartésienne de l'auteur de mon manuel d'anglais, car, ce qui y était remarquable, c'était la progression supérieurement méthodique de la recherche de la vérité » (*N.C.N.*, p. 249).

Cette « démarche » se retrouve dans une grande partie des dialogues. Et la nature de l'ironie de l'auteur dans cette citation de *N.C.N.* est éclairante : il ne s'agit pas d'une antiphrase qui tournerait au ridicule le chaos de la pensée des personnages – un certain nombre de spectateurs des années cinquante n'y virent que désordre et incohérence – mais bel et bien du constat d'un ordre de leur pensée. Ordre à la fois grotesque et terrifiant, comique et redoutable, au service de la « vérité », terme qui, lui, relève bien de l'antiphrase. Dans *La Cantatrice chauve*, une logique pervertie singe notre logique – et celle-ci n'en sort pas indemne –, mais en garde l'armature. De même que cette anti-pièce révèle une connaissance profonde des principes de la dramaturgie, de même l'« antilogique » de ses personnages met en évidence, à travers leur subversion, les ressorts essentiels de la logique.

PRINCIPES.

La logique traditionnelle, sous la diversité des types de raisonnement, repose sur trois grands principes : d'identité, de contradiction, du tiers exclu.

Le principe d'identité postule qu'un jugement vrai reste toujours vrai : s'il est exact que Bobby Watson n'avait pas d'enfants, il sera de toute éternité établi qu'il n'avait pas d'enfant. Le principe de contradiction implique que deux idées contradictoires ne puissent être vraies ensemble : on ne peut, en même temps, affirmer par exemple que des visiteurs n'étaient pas attendus et qu'on les attend depuis quatre heures (*C.C.*, p. 33). Enfin le principe du tiers exclu – utilisé en mathématiques dans le raisonnement par l'absurde – établit que dans une alternative deux idées contradictoires ne peuvent être fausses ensemble. L'âge influe sur les sentiments ou pas : c'est une alternative. Il n'est donc pas possible, comme le fait pourtant M. Smith, d'affirmer que « la vérité est entre les deux » (*C.C.*, p. 35-36) : entre deux propositions contradictoires, il n'y a pas de milieu.

Les exemples qui explicitent ces définitions nous montrent déjà que les personnages de la pièce prennent d'étranges libertés avec les principes élémentaires de la pensée rationnelle. Ils sont capables d'accumuler en quelques répliques un nombre impressionnant d'entorses aux principes logiques, avec la plus tranquille assurance. Ils peuvent affirmer en l'espace de quelques phrases que Bobby Watson est mort il y a deux ans, depuis au moins trois ans, enfin depuis plus de quatre ans (*C.C.*, p. 16). Tout se passe comme si une amnésie fulgurante rendait inapplicable le principe d'identité. Amnésie, ou mauvaise foi peut-être, lorsque M. Smith après avoir dit, plongé dans son journal : « C'est écrit »,

assène : « Ça n'y était pas sur le journal...
je m'en suis souvenu par association
d'idées. » Toujours dans le même passage,
l'idée d'un « cadavre vivant », chaud quatre
ans après le décès, est un paralogisme (*i.e.* :
définition d'un être contradictoire), tout
comme prétendre qu'on ne peut différen-
cier un homme et une femme que par le
nom (*C.C.*, p. 17 : « Comme ils avaient
le même nom », etc.). Le principe de
contradiction ne tourmente pas M. Smith
quand il décrit Bobby Watson : « Elle a
des traits réguliers et pourtant on ne peut
pas dire qu'elle est belle. Elle est trop
grande et trop forte. Ses traits ne sont pas
réguliers et pourtant on peut dire qu'elle
est très belle. Elle est un peu trop petite
et trop maigre » (*C.C.*, p. 17).

Ces quelques exemples n'épuisent pas
le filon des curiosités de raisonnement dans
ce passage d'une quinzaine de répliques.
Or les principes logiques sont mis à mal
à bien d'autres moments de la pièce.
Quand Mme Smith affirme que « la
quatrième fois ne compte pas » (*C.C.*,
p. 46), elle piétine allègrement le principe
d'identité : un jugement vrai une fois l'est
x fois... En tombant d'accord sur le fait
que la Marine anglaise est honnête, mais
pas les marins, les époux Smith bafouent
le principe de contradiction (*C.C.*, p. 15).
Certes la Marine britannique est une
institution historique et une entité symbolique qui ne se réduit pas à la somme des
marins anglais. Il est pourtant difficile
d'admettre l'idée d'une Marine honnête
composée de marins malhonnêtes. La
contradiction naît ici du télescopage de
deux clichés : la Navy est sublime, et les

marins sont de dangereux gaillards. Dans la scène VIII, le Pompier veut mettre d'accord ses hôtes. Sonne-t-on à la porte ? Pour Mme Smith il n'y a « jamais personne », pour M. Smith « toujours quelqu'un ». En concluant : « Vous avez un peu raison tous les deux », le Pompier ignore le principe du tiers exclu, car la formule catégorique de chacun des Smith interdisant toute exception ne peut être que fausse s'il s'en produit une seule : pas de milieu entre la vérité d'un jugement qui se pose comme une loi absolue et son invalidité.

PROCÉDÉS.

Aucun irrespect pourtant dans cette utilisation incertaine des principes de la raison. Car les personnages s'emploient avec ardeur à manier les opérations de la pensée rationnelle. La discussion entre les Smith à propos du Dr Mackenzie peut nous en fournir une bonne illustration (*C.C.*, p. 14-15). Mme Smith prouve la valeur du Dr Mackenzie par un raisonnement qu'on peut représenter par le syllogisme suivant :

Un bon médecin doit expérimenter un traitement sur lui-même.

Or Mackenzie a expérimenté le traitement de Parker sur lui-même.

Donc Mackenzie est un bon médecin.

La première proposition est extravagante. Comme bien des idées qui paraissent évidentes aux personnages de *La Cantatrice chauve,* elle repose sur un cliché, ici l'héroïsme du « bon docteur » qui risque sa vie pour ses patients. S'y ajoute peut-être une association d'idées dont la racine est le mot « expérience ». On sait qu'un médicament doit être expérimenté (en laboratoire), qu'un bon médecin est expérimenté (a de l'expérience). La confusion des deux significations, combinée avec le cliché de l'abnégation du corps médical, pourrait bien être la racine de cet étrange postulat.

La suite du raisonnement constitue un sophisme. Car la valeur d'un médecin ne peut se réduire à une seule qualité, si éminente soit-elle. Autrement dit, même si la première proposition était pertinente, l'existence chez Mackenzie du trait caractéristique qu'elle signale (l'auto-expérimentation) ne constituerait qu'une condition nécessaire et non suffisante pour en faire un bon praticien.

On trouve dans *Rhinocéros* une anomalie du même type lorsque le logicien énonce ce syllogisme :

> « Le chat a quatre pattes.
>
> Isidore et Fricot ont chacun quatre pattes.
>
> Donc Isidore et Fricot sont des chats. »

M. Smith n'est pas en reste dans la pratique de la déduction. Au raisonnement de sa femme, il oppose une démonstration qui peut se représenter aussi par un syllogisme : « Un médecin consciencieux doit mourir avec le malade s'ils ne peuvent pas guérir ensemble. » Or « le docteur s'en est tiré », et non son malade. « Alors Mackenzie n'est pas un bon docteur » (*C.C.*, p. 14).

Ce raisonnement est formellement correct, mais la proposition initiale est absurde. Elle est fondée, par association d'idées, sur l'analogie malade / bateau et médecin / commandant de bateau. Or le raisonnement par analogie, qui part d'une ressemblance partielle constatée entre deux objets pour supposer une ressemblance plus large entre eux, ne peut être manié que pour formuler des hypothèses. Pourtant M. Smith est catégorique. D'autre part la ressemblance initialement constatée est fragile et surtout elle repose sur un cliché : l'image du capitaine héroïque, qui répond au thème de l'abnégation du médecin dans la thèse de Mme Smith.

M. Smith ne s'en tient pas à une analogie stupide. Il la développe, comme une métaphore filée, mais embrouille les fils : le docteur sera comparé à un bateau (« aussi sain qu'un vaisseau »), le médecin se substitue au commandant dans le jeu des comparés et des comparants (« il devait périr en même temps que le malade comme le docteur et son bateau », *C.C.*, p. 15). La bêtise débouche de manière burlesque sur l'incohérence.

M. et Mme Smith révèlent donc un goût affirmé pour la déduction. Mais l'induction (raisonnement qui consiste à passer du particulier au général) ne leur est pas étrangère : puisque Mackenzie est pour M. Smith un charlatan, « tous les docteurs ne sont que des charlatans » (*C.C.*, p. 15). On retrouve dans cette généralisation le péché mignon du « ON », de la pensée collective, fustigée par Ionesco et avant lui par Flaubert : cette phrase de M. Smith ne déparerait pas le *Dictionnaire des idées reçues*. Comme dans le raisonnement précédent, M. Smith va dépasser la simple bêtise pour sombrer dans l'extravagance : « Et tous les malades aussi » (*C.C.*, p. 15). L'induction exige une vérification, donc un recul critique, pour avoir quelque valeur. Cette faculté critique faisant défaut à nos personnages, rien n'empêcherait M. Smith d'étendre son accusation de charlatanisme à l'Angleterre entière, si le cliché de la grandeur de la Royal Navy ne venait s'interposer. À nouveau le raisonnement, en dépit de l'armature logique, a procédé par associations ; le thème du bateau perdure.

Contamination de la pensée par des idées reçues prises pour des évidences, sophismes, analogies aventureuses, inductions abusives, sans oublier la tautologie (« Parce que l'opération a réussi chez le docteur et n'a pas réussi chez Parker » – *C.C.*, p. 14), les personnages nous offrent ici un panorama caricatural des incertitudes de la Raison, qui apparaissent dans bien d'autres passages. La scène VI est remarquable à cet égard. Les Martin utilisent de manière systématique induction et déduction sans qu'on puisse leur reprocher de faire preuve de précipitation dans leur démarche. Celle-ci s'apparente à la méthode policière des recoupements. Le caractère original et hautement stupide du procédé des Martin tient au fait qu'ils attendent l'ultime recoupement pour conclure, alors qu'ils ne déduisent rien de l'accumulation de ce qu'un langage consacré appelle « des coïncidences troublantes ». Le policier le moins doué n'aurait pas attendu aussi longtemps... En outre, en procédant à un pointage global des éléments (lieux, enfants, etc.), qui leur sont communs, pour en conclure qu'ils ont une vie commune, les Martin emploient une méthode inductive qui exige un relevé sans faille. Or les Martin ne privilégient aucun de ces éléments : ils dorment dans le même lit, mais ce fait qui pourrait paraître déterminant n'est qu'un élément parmi d'autres dans leur pointage ; il suffit qu'un seul détail ne coïncide pas avec le reste pour que tout s'écroule. Mary Sherlock Holmes soulignera cruellement dans la scène V que la logique appliquée mais imparfaite des Martin n'a pu combler leur immense trou de mémoire.

MÉTHODE SCIENTIFIQUE.

Non contents de raisonner à tort et à travers, et en général de travers, les Smith et les Martin, à l'occasion des mystérieux coups de sonnette, abordent des questions fondamentales : la causalité et l'articulation de la théorie et de la pratique. Les données du problème qui déclenchent la querelle entre les quatre personnages sont simples : la sonnette retentit quatre fois chez les Smith, les trois premières fois il n'y a personne à la porte, la quatrième fois se présente le Capitaine des Pompiers. Ce problème ressortit à la logique et à la méthodologie scientifique. Il s'agit pour les personnages de trouver une explication qui rende compte d'une réalité qui fait question.

Pour M. Smith, point d'effet sans cause, la sonnerie est forcément conséquence de la présence de quelqu'un à la porte. Il s'en tient à cette loi même si les faits ne semblent pas toujours s'y plier. Pour Mme Smith, « cela est vrai en théorie, non dans la réalité... » (p. 41). Esprit davantage tenté par la méthode expérimentale que par les spéculations abstraites, elle induit de l'expérience une loi générale qui contredit celle de son mari : quand on entend la sonnette, il n'y a personne à la porte. L'absence d'un sonneur n'est pas la cause de la sonnerie, mais la sonnerie est le signe de cette absence. Au premier abord, le spectateur est surtout frappé par l'erreur de Mme Smith, et pour un peu, il trouverait son mari assez raisonnable. En fait, les deux positions sont aussi délirantes l'une que l'autre.

L'absurdité de Mme Smith est flagrante. Son hypothèse initiale est identique à celle de son mari :

Mme Smith : « Il doit y avoir quelqu'un » (p. 39).

M. Smith : « Il doit y avoir quelqu'un » (p. 40).

Deux expériences seulement lui permettent, par une induction précipitée, de formuler un jugement général (p. 40). Mais sa hâte à conclure n'est pas le seul scandale logique. L'induction, par son passage de l'observation des faits aux lois qui les gouvernent, suppose la croyance au déterminisme. Or Mme Smith n'en a cure, puisqu'elle ne tient plus compte de ses expériences passées (« Il doit y avoir quelqu'un » = on a déjà sonné chez elle dans le passé !) et qu'elle récuse le quatrième coup de sonnette dont elle prétend, avec une mauvaise foi puérile, qu'il « ne compte pas ».

M. Smith n'est guère moins absurde. Son hypothèse n'est pas : quand on entend sonner, c'est que quelqu'un a sonné, mais : chaque fois qu'on sonne, il y a quelqu'un (p. 41). Ce qui est tout différent : M. Smith n'envisage pas une seconde l'éventualité d'une farce. En gauchissant les données de la situation à élucider, M. Smith pose un faux problème. De plus, sa conception de la causalité est empirique : « Moi, quand je vais chez quelqu'un, je sonne pour entrer. Je pense que tout le monde fait pareil » (p. 41). Sur ce plan, il diffère peu de sa femme ; elle privilégie son expérience actuelle des coups de sonnette en écartant les expériences passées et futures (le quatrième coup...), lui ne considère que son expérience passée sans se poser la moindre question sur l'étrangeté de l'expérience présente, puisqu'à chaque sonnerie il ignore le démenti des faits. Il semble bien nuancer sa position en disant : « La plupart du temps, quand on entend sonner à la porte, c'est qu'il y a quelqu'un » (p. 42), mais il annule aussitôt cette velléité d'interrogation en reprenant : « Il y a quelqu'un. » Les avis des Smith sont opposés mais non contradictoires parce qu'ils ont une source commune, l'incapacité à maîtriser intellectuellement la réalité et à s'y adapter. Qu'ils participent au même univers mental, on peut en voir une preuve dans l'absence de réaction de M. Smith lorsque sa femme prétend que « la quatrième fois ne compte pas » (p. 46).

Les conceptions des Smith se rejoignent dans l'absurdité, seules les modalités changent. Mme Smith fait de l'exception la règle, son mari applique une règle som-

Mettre cette scène
à l'endroit indiqué
page 37
XX

(37 bis)

(Mary, ~~entre~~, entre, note)

Mary

Madame, Monsieur!

Mme Smith : Que voulez-vous?

Mr Smith : Que venez-vous faire ici?

Mary : que madame et monsieur les excusent ... et ces dames et
messieurs aussi ... je voudrais ... je voudrais ... à mon
tour, vous dire une anecdote ...

Mme Smith - Qu'est-ce qu'elle dit?

Mr Martin - Je vois que la bonne de nos amis devient folle, elle veut, elle
aussi, dire une anecdote!

Le pompier (la voit, soudain) Oh! Oh!

Mme Smith (à Mary) De quoi vous mêlez-vous?

Mr Smith - Vous êtes vraiment déplacée, Mary!

Le pompier (regardant toujours Mary) C'est elle! Mais c'est elle!

Mary - Pas possible, ici? Et, vous?

Mme Smith - Qu'est-ce que cela veut dire, tout ça!

Mr Smith - Vous êtes amis?

Le pompier - Et comment donc! Je suis un peu son fils spirituel.

Mary - Que je suis heureuse, de vous revoir, mon enfant!

Mr et Mme Smith (outrés) Oh!

Mr Smith - C'est trop fort! Ici! Sous notre toit!

Mme Smith - Ce n'est pas convenable!

Le pompier - Elle a éteint mes premiers feux!

Mary - Je suis son petit jet d'eau!

Mr Martin - S'il en est ainsi, chers amis, ces sentiments sont
explicables, humains, honorables!...

Mme Martin - Tout ce qui est humain est honorable!

Mme Smith - Il me déplaît quand même de la voir là, parmi nous!...

Mr Smith - Elle n'a pas l'éducation nécessaire!... (tournez la page) maire et mal formulée qui ne peut susciter que d'inexplicables exceptions, puisqu'il établit un rapport nécessaire entre un coup de sonnette et la présence d'un visiteur à la porte.

Les personnages se retrouvent aussi dans leur manière de transformer un débat somme toute philosophique en guerre des sexes ou en querelle privée :

M. Martin : « Oh ! vous, les femmes, vous vous défendez toujours l'une l'autre » (p. 41).

Mme Smith : « Ah ! ces hommes qui veulent toujours avoir raison... » (p. 41).

Mme Smith : « Je te prie de ne pas mêler les étrangers à nos querelles familiales » (p. 44).

Les Martin se déterminent d'ailleurs sur ce terrain. M. Martin soutient M. Smith, et Mme Martin vole au secours de Mme Smith. En général simples échos des Smith, les Martin ne servent qu'à accuser l'opposition masculin/féminin. M. Martin se distingue cependant par une certaine mollesse dans son rôle d'allié de M. Smith. Par exemple, il n'ajoute que : « Ce n'est pas impossible » au catégorique « Il y a quelqu'un » du maître de maison (p. 42). Il anticipe ainsi d'une certaine façon la recherche de compromis du Pompier.

D'ailleurs, l'acceptation générale de ce compromis (p. 49), sans la moindre objection, est un autre signe de la conjonction des personnages dans la même absurdité. « Des fois il y a quelqu'un, d'autres fois il n'y a personne » assure le Pompier (p. 49), idée qui n'est pas absurde – les farceurs qui tirent les sonnettes puis se cachent existent, le Pompier en est un –, mais qui ne résout pas le problème tel qu'il était posé par les Smith, et en fait leur donne tort à tous les deux, ce qui est normal puisqu'il s'agit d'un faux problème !

Cette précipitation soudaine ne met pas seulement en évidence l'inconséquence des Smith mais aussi leur conception du débat d'idées : non un moyen de trouver la vérité, mais l'occasion de s'affronter et de remplir l'espace sonore.

« C'EST UN NON-SENS »
(M. Smith, *C.C.*, p. 15)...

À ce stade de l'analyse, il apparaît que l'absurdité de la « pensée » des personnages revêt essentiellement deux formes. D'une part, ils prononcent des jugements qui sont en désaccord flagrant avec les normes de la réalité. Tout ce qui, dans l'épisode des Bobby Watson, concerne le temps, la nature de la mort, la dénomination des hommes en société relève de cette catégorie. On est là dans le non-sens pur, au-delà de la vérité et de l'erreur, puisque dans un monde *autre* où l'on n'est pas choqué de parler ou d'entendre parler de « cadavre vivant ». D'autre part le cartésianisme dévoyé des Smith et des Martin ne mène pas seulement à l'erreur, mais au non-sens puisqu'ils ne s'aperçoivent pas du caractère inepte de leurs conclusions. Non contents de se fourvoyer dans les impasses logiques, ils les prennent pour des routes royales.

Mais dans *La Cantatrice chauve*, le non-sens peut naître d'une troisième source : la rupture du lien qui unit signifié et signifiant. Ce divorce, constant dans la dernière scène, occasionnel auparavant, plonge les mots dans la folie. Les signifiants lâchés en liberté semblent se lier à des signifiés nouveaux qui restent forcément mystérieux au spectateur. Quand le Pompier nous apprend qu'une jeune femme a confondu le gaz avec « son peigne » (*C.C.*, p. 52), nous avons évidemment du mal à mettre un signifié quelconque sous le mot prononcé. Dans la dernière scène, il n'y aura même plus de mystère : les mots se réduiront à leur simple sonorité.

Aussi, quand Mme Smith affirme que « le yaourt est excellent pour l'estomac, les reins, l'appendicite et l'apothéose », le dernier mot plonge le spectateur candide dans la perplexité, il en oublierait presque le côté insolite des autres vertus prêtées au yaourt par l'admiratrice du Dr Mackenzie. J. H. Donnard a intitulé son essai sur *La Cantatrice chauve* : « L'appendicite et l'apothéose » : « apothéose » mérite bien en effet quelque attention.

Rien dans le contexte ne permet de prêter au mot sa signification habituelle : « déification, triomphe, épanouissement sublime » selon le dictionnaire Robert. À la rigueur, on peut trouver une certaine association entre le sens de « triomphe » et la réussite de Mackenzie, surtout au terme d'une gradation. Mais on pourrait aussi bien voir dans « apothéose » une connotation funèbre. Le signifié apparaît donc indécidable. On objectera peut-être que les cuirs, pataquès ou impropriétés diverses égaient l'atmosphère des comédies depuis longtemps. Mais ils y sont l'instrument d'une satire sociale très précise bien étrangère aux intentions de Ionesco. En outre, le spectateur reconnaît facilement un signifié sous le signifiant impropre ou barbare utilisé par un personnage ridicule de Molière ou un petit-bourgeois de Monnier. Lorsque dans *Tartuffe,* Mme Pernelle dit « Tour de Babylone » pour « Tour de Babel », son niveau d'expression trahit son origine sociale, et tout spectateur comprend la nature d'une telle erreur. Pas plus que le « peigne » déjà cité, le mot « apothéose » n'est une impropriété. Certes, la terminaison « ose » suggère la série des termes médicaux du genre de « arthrose, névrose, scoliose, etc. », mais cette association est purement poétique. Nous sommes dans un univers où les signifiants se décalent des signifiés, en gardant parfois un lien flottant avec le contexte. Cet aspect poétique est ici attesté par le jeu des allitérations en « ap » (*ap*pendicite/*ap*othéose) et par les deux groupes rythmiques de quatre syllabes chacun.

Les signifiants en folie de *La Cantatrice chauve,* s'ils ne sont pas des cuirs, présentent-ils une analogie avec les mots bizarres que l'on rencontre dans la pièce de Jean Tardieu *Un mot pour un autre* (1950) ? Comme l'annonce un récitant au début de cette pièce, les personnages y parlent « comme s'ils eussent puisé au hasard les paroles dans un sac ». Mais le spectateur découvre facilement, sous chaque terme prononcé sur scène, le mot qui lui correspondrait dans le langage normal. Lorsque Mme de Perleminouze s'approche d'un piano et s'écrie : « Tiens un grand crocodile de concert ! », le dépistage de ce langage insolite ne pose aucun problème. Pourrait-on en dire autant de phrases de *La Cantatrice chauve* telles que : « quand on s'enrhume, il faut prendre des rubans » (p. 63) ou « le fromage c'est pour griffer » (p. 74) ? D'autre part chez Tardieu la substitution d'un mot à un autre est constante, l'impropriété étant généralisée, nous n'avons qu'à nous adapter à une sorte de merveilleux du langage. Dans *La Cantatrice chauve,* les signifiants insolites coexistent dans la plus grande partie de la pièce avec un vocabulaire normal, majoritaire jusqu'à la scène XI, et le contraste entre l'insolite et l'habituel empêche l'adaptation et suscite à la fois le rire et le malaise. Quand dans la scène XI, les signifiants « anormaux » envahissent le langage, on ne peut comme chez Tardieu remplir ces coquilles vides d'aucune signification de substitution.

Ce que vise Ionesco, c'est le cœur même du langage : il ne s'agit pas pour lui de discréditer des utilisateurs maladroits de la langue ni de se livrer à des variations amusantes fondées sur le lien arbitraire qui relie signifiants et signifiés. Dans une optique qui rappelle celle des dadaïstes, il met le langage à mal par toutes sortes de procédés facteurs de non-sens.

À cet effet, il n'utilise guère le néologisme, alors qu'il y recourra assez largement dans *Jacques ou la Soumission.* Ici, on ne peut guère relever que « glouglouteur » (p. 78), formé à partir d'une

onomatopée, « cocardard » (p. 76) et
« polycandres » (p. 68). Il joue souvent sur
la polysémie qui fait apparaître des sens
inattendus. Mme Smith en donne un
exemple dans la seule plaisanterie
consciente faite par un personnage de la
pièce : « elle avait plus de sel que toi »
(p. 12), pénible jeu de mots qui la ravit.
La polysémie, de manière plus intéressante, peut créer un effet burlesque ou
inquiétant lorsqu'un terme est pris au pied
de la lettre. « Il est assuré contre l'incendie » (p. 53), dit le Pompier en prenant
« assuré » dans le sens le plus fort de
« garanti contre »... Gommée la métonymie
(assuré contre les conséquences d'un incendie), le marchand d'allumettes se retrouve ignifugé. Mais l'enchaînement de
termes par association mécanique est le
procédé le plus constant et aussi le plus
destructeur. Le langage collectif a déposé
chez les personnages un stock de lieux
communs qui sont échangés dans le dialogue suivant des lois d'attraction. Dans la
série suivante, un cliché en appelle un
autre par un phénomène d'aimantation :
« Il n'y a pas de rendement... Rien ne va.
C'est partout pareil. Le commerce, l'agri-
culture, cette année... ça ne marche pas...
on le fait venir de l'étranger... trop de
taxes » (p. 52). Cependant idées et mots
restent encore solidaires. Ailleurs, et surtout à la fin de la pièce, c'est au niveau
purement verbal que l'association s'effectue. Ainsi s'enchaînent « circonstances à
la mode / à la mode de Caen / comme les
tripes » (p. 56-57). On aura reconnu le
procédé qui fit le succès de la série « pêche
à la ligne / ligne de fond / fond de culotte »,

etc. Pour creux qu'il soit, cet enchaînement demeure pourtant basé sur un jeu
lexical. Dans la dernière scène, les associations strictement phonétiques se multi-
plieront, créant une cascade d'échos.
Rimes intérieures (ex. lapin / jardin, p. 75),
allitérations qui font boule de neige (ex.
cacade – cascade – cactus – cacaoyers,
p. 76), assonances (ex. en « ou », p. 77),
rimes (en « ouche », p. 77), produisent un
système sonore dont la cohérence se
renforce à mesure que la pensée se
désintègre. L'enchaînement est le signe de
la désagrégation du sens. À la « chaîne des
raisons » de Descartes s'oppose la chaîne
des associations de mots. Ceux-ci ne sont
pas libérés des contraintes rationnelles
pour prendre leur envol comme dans la
poésie surréaliste. Si les deux premières
phrases de la scène XI pourraient être à
la rigueur des « cadavres exquis », les autres
ne sont pas formées suivant des rencontres
de hasard. Par exemple, la sentence de
Mme Martin : « Je te donnerai les
pantoufles de ma belle-mère si tu me
donnes le cercueil de ton mari » (p. 73),
comporte le verbe « donner » dans les
deux propositions, ce qui lui assure le
minimum de cohérence qui l'empêche
d'accéder au charme de l'irrationnel :
c'est l'absurde sans peine, mais sans
séduction non plus.

Reposant sur un univers qui dément
notre expérience, sur des raisonnements
dont la raideur accentue le fossé entre
raison et incohérence, le non-sens est donc
alimenté par les mécanismes d'un langage
libéré de plus en plus du devoir de
transmettre des significations.

FABLES.

Les différentes modalités du non-sens peuvent être perçues avec une netteté particulière dans les anecdotes racontées par les personnages dans la scène VIII. Nous nous bornerons aux histoires des p. 56 à 58, qui relèvent du genre de la fable (« fable expérimentale », p. 56), alors que « Le Bouquet » et « Le Rhume » s'en distinguent par le ton et la matière. Si la fable est un récit inventé censé véhiculer une morale, certains aspects de ces récits correspondent bien, en effet, à cette définition : par exemple l'indétermination des protagonistes (« un jeune veau »... « un coq »... « un serpent »), du lieu et du temps (« une fois » figure dans tous les récits sauf dans le second), l'attente d'une morale par le destinataire (M. Martin : « Quelle est la morale ? », p. 56). En outre, le chien, le bœuf, le coq, le serpent et évidemment le renard – « le rusé animal » (p. 57) – viennent du bestiaire de La Fontaine. Le coq qui veut faire le chien rappelle un des thèmes favoris du fabuliste (ex. « le loup devenu berger »), etc. Mais, et c'est là une première manifestation du non-sens, ces fables sont en même temps présentées comme des faits divers, des rapports d'événements réels : « ça s'est passé pas loin de chez nous » – « ... dans tous les journaux » (p. 57). L'indécision entre deux niveaux qui s'excluent (le réel / l'imaginaire) est manifeste dans cette réplique ambiguë de Mme Smith : « Mais ça n'a pas été vrai » (p. 58), qui par l'emploi au passé composé ramène la vérité (intemporelle) à un événement situé dans le temps.

L'indistinction entre le fait divers et un imaginaire hautement invraisemblable donne le vertige. Le chien se prend pour un éléphant, et le bœuf attend du possesseur d'une trompe qu'il l'avale : les ingrédients d'une histoire de fous sont réunis. À l'idée du chien mythomane, s'en ajoute une autre : on peut supposer que dans ce monde étrange les chiens sont pourvus d'une trompe non éléphantesque qu'ils doivent avaler, alors que les éléphants n'avalent pas la leur. Puis un veau accouche d'une vache : on sait que le monde renversé est un des principes du non-sens, et s'y ajoute ici le thème récurrent de la confusion des sexes, qui apparaît un peu plus loin avec le « je ne suis pas ta fille » du serpent. Aucun être n'est cerné par des contours définitifs : du chien à l'éléphant il n'y a qu'un pas, ou un genre de trompe ; le chien « qui voulut faire le coq » réussit parfaitement sa transformation, le serpent se métamorphose en boxeur. Sur ces données ineptes la logique s'en donne à cœur joie. Sur le plan formel, le raisonnement du chien est inattaquable : les éléphants n'avalent pas leur trompe – or je me suis cru éléphant, donc je n'ai pas avalé ma trompe. On remarque aussi dans la fable suivante l'abondance des articulations logiques : « en conséquence... cependant, comme... non plus, parce que... alors ». La structure générale est cohérente : une cause → le résultat → le problème qu'il pose → la solution. La question épineuse se situe sur le plan du langage : faut-il « appeler » le veau « papa » ou « maman » ? Le formalisme triomphe sur toute la ligne. Mais dans « Le

Serpent et le Renard », cette armature formelle s'effondrera : non seulement le récit est incohérent (prêt à attaquer, le renard « s'enfuit, en tournant le dos », ce qui ne l'empêche pas de recevoir un coup sur le front), mais les bases de la raison sont ébranlées : ici 2 + 1 = 4 (« non ! non ! quatre fois non ! », p. 58). En outre, dans toutes ces fables, le principe de non-contradiction est réduit en miettes : si on distingue immédiatement un coq d'un chien, on ne peut distinguer un chien d'un coq (p. 57).

Dans de telles conditions, les mots les plus familiers deviennent suspects. Le mot « chien » désigne-t-il vraiment l'animal auquel nous pensons quand ce « chien » pourrait avoir une trompe et être le sosie d'un coq ? Qu'est-ce qu'un « veau », fils mère et jeune marié ? D'autant que l'auteur utilise dans le passage que nous avons délimité au moins deux termes déroutants. Le signifié de « miel de poule » (p. 57) est bien opaque, mais quand les coqs sont si bizarres, on peut s'attendre à tout... Surtout, l'emploi de « autre » dans la première fable est étonnant. Cet adjectif indéfini sert à distinguer un être quelconque ou une chose d'un ou d'une autre. Un « autre bœuf » (comme bien sûr « un autre chien ») surprend puisqu'on n'a encore parlé d'aucun bœuf dans le récit quand ce mot apparaît. Quel est le bœuf mystérieux dont cet autre se distingue ? le bœuf du titre ? le bœuf de La Fontaine ? ou alors le bœuf de la réalité, dont le bœuf ionesquien se différencie en effet très nettement ? Peut-être un peu de tout cela, mais l'essentiel n'est pas là, car toutes ces hypothèses sont encore trop raisonnables. L'emploi syntaxiquement anormal de « autre » a plutôt pour rôle de nous dépayser en déplaçant arbitrairement un repère du territoire de notre langage.

On comprend dès lors que l'auteur de *La Cantatrice chauve* soit un des rares auteurs français que l'on puisse rapprocher à certains égards d'Edward Lear ou de Lewis Carroll, les deux maîtres anglais du non-sens. Comme les textes de Carroll, ces fables mettent la raison la tête à l'envers, mais du même coup s'y expriment les fantasmes d'un inconscient enfantin :

• l'ingestion/l'évacuation : « avaler une trompe »... « manger trop »... « accoucher » (lié à une indigestion)... « les tripes »... « donner de l'argent ».

• la violence : « Le Serpent et le Renard » dans sa totalité.

• la quête de l'identité : le veau, papa ou maman ?, le refus du serpent d'être la fille du renard, le coq « reconnu », le chien à la recherche de sa personnalité (éléphant ? faux coq ?). Fantasmes qui empêchent les Smith, les Martin, le Pompier d'être complètement des robots abstraits.

Finalement, le comportement des personnages de *La Cantatrice chauve* nous donne la même sensation que celui de certains malades mentaux. L'extrême formalisme, les calembours, les coq-à-l'âne, les séries de mots formés sur des assonances, les paralogismes qui caractérisent le langage des créatures de Ionesco, se retrouvent dans celui de nombreux schizophrènes. Ceux-ci comme ceux-là, à la différence de ce que sont censées faire des personnes dites normales, ne choisissent pas de jouer sur les mots, mais sont mus par une nécessité, imposée par le langage collectif pour les uns, par une pathologie pour les autres. Et la distinction même est fragile, puisque les personnages de *La Cantatrice chauve* voient leur aliénation se transformer en une sorte de délire qui secoue des corps souffrants. Cependant, nous nous reconnaissons dans les personnages de la pièce, car nous avons le sentiment des limites de notre liberté en face du langage. Le salon des Smith a en commun avec le monde de la démence qu'il nous renvoie une image de nous-mêmes non point tant déformée que grossie. Le grossissement n'a pas été seulement pour Ionesco le procédé théâtral par essence, mais aussi le moyen de nous montrer une image irrécusable de la folie de notre langage.

LA LEÇON

1. E. Jacquart, *Travaux de littérature I,* publiés par l'ADIREL, p. 242 (1988).

2. Giovanni Lista, *Ionesco,* Veyrier, 1989, p. 25.

3. E. Jacquart, *op. cit., ibid.*

4. Ionesco, *Pré-*

La première représentation de *La Cantatrice chauve* avait eu lieu le 11 mai 1950. Le spectacle fut joué vingt-cinq fois et s'arrêta le 16 juin. E. Jacquart nous précise, après un entretien avec l'auteur, que malgré l'insuccès du dramaturge, Marcel Cuvelier lui avait commandé une pièce, en spécifiant toutefois « que, pour des raisons financières, il ne fallait envisager que deux ou trois personnages et des éléments scénographiques extrêmement simples [1] ».

On peut alors s'expliquer pourquoi Ionesco ne présenta pas *Jacques ou la Soumission* qu'il dit avoir écrit en 1949, juste après *La Cantatrice chauve* (*N.C.N.,* p. 271) mais que l'édition Gallimard date de l'été 1950. Il rédige donc *La Leçon* en juin de cette année ; G. Lista indique que cela « l'a occupé pendant trois semaines [2] ».

D'une façon générale, l'auteur n'a pas longuement épilogué comme pour *La Cantatrice chauve* sur les sources de son inspiration. Il a seulement indiqué à E. Jacquart que « le livre d'arithmétique de sa fillette Marie-France » lui avait donné des idées : « Je me suis dit qu'à partir des éléments les plus simples de l'arithmétique, de l'alphabet arithmétique si je puis dire, on pouvait tirer une pièce [3]. » D'autre part, Ionesco a, comme tout un chacun, une expérience de l'école qui a influé sur son imagination. Le physique du professeur de *La Leçon* en porte la marque. Il a également connu le point de vue adverse puisqu'il signale avoir dû donner, quand il avait dix-huit, dix-neuf ans, des cours particuliers de français à Bucarest, ce qui lui permettait de survivre [4]. Sans doute sent passé / Passé présent, Mercure de France, p. 24.

1. Se reporter à la « Genèse » de *La Cantatrice chauve*, p. 18.

2. Se reporter à « Une satire du pouvoir », « Pouvoir et désir », p. 116.

aussi ses années d'enseignement dans un lycée de la capitale roumaine de 1935 à 1938 ont-elles servi à la conception de la pièce.

Outre les souvenirs personnels, il est de tradition de rechercher dans une œuvre les souvenirs littéraires. Ionesco récuse, en ce qui le concerne, la légitimité de cette démarche : sa culture théâtrale n'a pas précédé sa création, puisqu'elle a été postérieure à ses premières pièces [1]. Les analogies que l'on peut repérer entre *La Leçon* et certaines œuvres de Vitrac, Jarry ou Tardieu doivent donc être considérées comme des coïncidences ; elles sont d'ailleurs mineures. La seule vraie source de cette deuxième pièce de Ionesco est dans l'angoisse de son auteur.

Certes, sur la situation même de *La Leçon,* on pourrait établir toute une bibliographie, car la littérature n'a pas manqué de s'intéresser aux relations élève-professeur en général, et en particulier lorsque l'élève est une jeune fille [2]. Mais il serait injustifié de parler d'influence. Simplement, ces œuvres ont participé à l'élaboration d'une sorte de mythe dont les personnages de *La Leçon* portent la trace.

I   LE TITRE

Autant dans *La Cantatrice chauve* le titre est déroutant, car il n'évoque aucune réalité ni dans la vie ordinaire ni dans la pièce, autant la deuxième œuvre de Ionesco paraît renvoyer, par son titre, à un contenu traditionnel. *La Leçon* nous présente en effet un cours particulier, donné par ce qui ressemble bien à un instituteur retraité, vivant petitement en « répétiteur ». Il ne s'agit pas toutefois d'*une* leçon spéciale où Ionesco nous présenterait, comme le pratique le théâtre expressionniste, un fait divers aussi sanglant qu'exceptionnel. L'article défini *La Leçon* implique qu'une loi générale doit être dégagée du spectacle. De même que, dans *L'École des femmes*, Molière nous montre à la fois comment un personnage imagine qu'il faut éduquer les jeunes filles et comment, en réalité, elles apprennent la vie, de même, on s'attend à ce que Ionesco utilise le déroulement d'un cours particulier pour délivrer un message moins sur l'enseignement d'ailleurs que sur la vie en général.

Ce titre conventionnel est compensé par un sous-titre provocateur : « drame comique ». Certes, *drame* signifie : genre littéraire comprenant tous les ouvrages composés pour le théâtre. Mais cette acception est vieillie. Depuis le milieu du XVIIIe siècle, ce mot évoque des pièces dont l'action tragique, pathétique s'accompagne d'incidents comiques. Il a même fini par désigner des pièces graves (par exemple, *Les Mouches* de Sartre, écrite en 1943, est officiellement sous-titrée « drame ») et donc par s'opposer à la comédie. Dire que *La Leçon* est un drame comique, c'est – par un oxymore – signaler qu'on a affaire, sinon à une seconde anti-pièce, du moins à une parodie.

Effectivement, l'action et les personnages ne correspondent pas à nos schémas habituels. On ne sait à quel niveau situer le cours auquel nous assistons : l'élève se prépare à un doctorat mais le contenu de l'enseignement rappelle davantage l'école primaire. On ne voit pas non plus quel bénéfice l'élève pourrait en tirer, d'une part à cause de son évidente sottise, d'autre part à cause du caractère déroutant du cours qui débouche sur l'impossibilité d'expliquer, aussi bien les mathématiques (« Ça ne s'explique pas. Ça se comprend par un raisonnement mathématique intérieur. On l'a ou on ne l'a pas », p. 132) que la philologie (« On ne peut vous donner aucune règle. Il faut avoir du flair, et puis c'est tout », p. 132). La jeune fille n'a rien appris. On lui a donné « une bonne leçon », au sens de « bonne correction », mais la mort lui a été infligée dans un état d'hypnose : on ne lui a même pas appris à mourir, comme Marguerite l'enseigne à Béranger dans *Le roi se meurt*.

Le professeur tirerait-il, lui au moins, une leçon de son expérience ? La structure circulaire de la pièce nous force bien à admettre le contraire. Malgré les trente-neuf victimes précédentes, le vieil enseignant se croit toujours capable de se maîtriser : « je saurai m'arrêter à temps » (p. 138). Après le meurtre, il semble pris au dépourvu, comme si c'était la première fois : « Qu'est-ce que j'ai fait ! Qu'est-ce qui va m'arriver maintenant ! » (p. 144). Même les objurgations de la bonne, qui tire de justes déductions des faits et anticipe sur l'étape suivante, ne peuvent empêcher le crime. Serait-elle donc la seule à avoir compris le mécanisme de ce cours si particulier ? On ne peut même pas la créditer d'une telle lucidité puisque la dernière scène nous la montre aussi attendrie que si son maître en était à sa première faute : « Ah ! vous êtes un brave garçon quand même ! On va tâcher d'arranger ça. Mais ne recommencez pas... » C'est donc, à chaque fois, dans l'espoir si anormalement renouvelé d'un cours qui se termine bien qu'elle intervient dans son déroulement.

Quant à la petite ville paisible où depuis trente ans réside le professeur, elle continue « tous les jours » (p. 145) à fournir au Minotaure son lot de victimes, signalant aimablement le chemin de son domicile : « tout le monde vous connaît ici », déclare l'élève (p. 91). Ainsi le monde inventé par Ionesco dans cette pièce se révèle inapte à tirer le moindre profit de l'expérience vécue.

C'est donc au spectateur de tirer la leçon du drame. Mais nous n'avons pas, comme dans le théâtre didactique que déteste Ionesco, un personnage sympathique, à qui nous nous identifierions pour haïr ses ennemis : superficielle et sotte, l'élève n'est pas une victime attendrissante. Pour sa part, le professeur n'a pas l'excuse d'être provoqué par quelque perfide succube. Ionesco se défend bien de vouloir démontrer. Selon lui, « tous les auteurs engagés veulent vous violer, c'est-à-dire vous convaincre, vous recruter [1] », donc ils vous imposent « un méchant à châtier, un bon à récompenser [2] ». Dans cette pièce, Ionesco ne soutient

1. *Journal en miettes,* p. 23.

2. *Idem,* p. 24.

aucun personnage mais présente les pièges d'une situation : les désirs et les impulsions du professeur appartiennent autant à la condition humaine que la frivolité, l'incompréhension ou la passivité de l'élève. À ce niveau *La Leçon* nous enseigne qu'un monstre gît en nous, qu'une situation suffit à rendre actif. On trouve là, en germe, l'idée majeure de *Rhinocéros.*

La tentation d'un théâtre à thèse traditionnel se fait jour à la fin de la pièce où Marie, la bonne, attache autour du bras du professeur « un brassard portant un insigne, peut-être la Svastika nazie » (p. 148) mais la mise en scène de Marcel Cuvelier a supprimé, avec l'accord de l'auteur, cette indication qui aurait limité la portée de la pièce. Toutefois le texte imprimé en porte toujours mention.

Finalement, à travers une intrigue évidemment irréaliste, Ionesco a signalé la difficulté, voire l'impossibilité, de donner ou de recevoir efficacement des leçons. La grande méfiance de l'auteur de *Non* à l'égard de ceux qui croient trop fortement à ce qu'ils disent – ou écrivent – s'élargit à une réflexion sur la soif du pouvoir. De plus, cette situation caricaturale, presque onirique, est une leçon pour qui ignorerait de quelle monstruosité la nature humaine est capable. Enfin, écrite en juin 1950, à l'heure où *La Cantatrice chauve* ne s'impose pas auprès de la critique, *La Leçon* est peut-être aussi une leçon de théâtre destinée à prouver le talent de son auteur et son aptitude à rénover les traditions.

II

ANALYSE DRAMATURGIQUE

Cette pièce n'est pas divisée en scènes comme *La Cantatrice chauve*. Ionesco déclare (*E.C.B.*, p. 93) que, dramaturge néophyte, il conserva le schéma scénique traditionnel pour sa première pièce, comme allant de soi au théâtre. Il s'aperçut ensuite qu'il n'y avait là aucune nécessité, et s'en affranchit dans *La Leçon*. La concentration de l'action et la progression sans faille de son déroulement justifient amplement le refus du morcellement en scènes.

Cependant, un découpage de la pièce appuyé sur les entrées et sorties des personnages facilitera l'étude de son fonctionnement. Le spectacle débute par *un tableau* : « Au lever du rideau, la scène est vide, elle le restera assez longtemps » (p. 87). Cette attente si inhabituelle au théâtre crée un certain malaise et contraint le spectateur à examiner le décor qui, par son réalisme, dénote la médiocrité petite-bourgeoise. *La scène*[1] *1* (p. 87-88) donne immédiatement et en contraste avec le vide pesant du tableau initial un rythme haletant car la bonne court, avant même qu'on ne la voie (on l'entend descendre précipitamment un escalier), et traverse la scène « en coup de vent » cependant que le visiteur s'impatiente puisqu'il sonne une deuxième fois. Cette précipitation, légèrement anormale, peut être ressentie comme une parodie de vaudeville qui utilise

1. Nous utilisons ce terme de « scène » pour plus de commodité.

La Leçon d'Eugène Ionesco au Théâtre de Poche, 1951. Mise en scène :
M. Cuvelier. Interprètes : Claude Mansard, Rosette Zucchelli, Marcel Cuvelier.
Ph. © Lipnitzki-Viollet.

abondamment cette ficelle dramatique, d'autant plus que le dialogue entre la bonne et l'élève donne au spectateur les repères conventionnels : d'une part le titre paraît éclairci (une élève vient effectivement à un cours particulier), d'autre part les convenances sociales sont respectées (« Asseyez-vous un instant... Merci, madame »).

La scène 2 (p. 88-89) est muette. L'élève, comme le spectateur, guettent l'arrivée du professeur. On remarque donc avec quelle habileté Ionesco détache nettement chacun des éléments constitutifs du spectacle en les présentant successivement à l'attention du public : le décor, puis la bonne, ensuite l'élève, enfin l'enseignant. Il s'agit bien d'une exposition, remarquable par sa brièveté : la position respective des personnages y est clairement établie. Nous ne saurons rien de plus sur eux, pas même leur nom. Les personnages n'ont en effet aucune individualité. Ils vont vivre devant nous *une situation* au déroulement aussi inéluctable que tragique.

La scène 3 (p. 90-96) maintient les apparences d'une leçon ordinaire. Le ton courtois du premier contact et des préliminaires pédagogiques, l'équilibre approximatif des répliques donnent au spectateur l'impression d'assister à une comédie satirique sur l'enseignement qui souligne aussi bien la bêtise de l'élève que la servilité du professeur.

La quatrième scène (p. 97-98) bouleverse complètement ce schéma. La bonne interrompt le cours sous le prétexte futile de chercher une assiette. Le procédé, comique au premier abord, rappelle le théâtre de boulevard : un domestique indiscret vient mettre son grain de sel dans la conversation des maîtres. Mais les objurgations de la bonne modifient les perspectives de l'intrigue et relancent l'intérêt. Une menace pèse donc sur les personnages : « L'arithmétique ça fatigue, ça énerve. » Même si on ne perçoit pas nettement la nature du danger, on est tenté de faire un rapprochement avec les premières manifestations d'un désir sexuel apparues lors du jeu de mots sur une réplique (« À votre disposition ») que l'élève a proférée par courtoisie. Or, cette phrase anodine a éveillé la lubricité du professeur, comme le confirme le trouble d'élocution qui suit : « Alors... nous... nous... je » et l'attaque brusque : « Bon. Où en est votre perception de *la pluralité* ? », qui peut passer pour un test sur sa connaissance des « choses de la vie ». L'ignorance de l'élève paraît d'ailleurs satisfaire le maître qui « se frotte les mains » en disant : « Bon, nous allons voir ça. »

Le spectateur est de plus dérouté – donc inquiété – par la défense contradictoire du professeur : s'adressant à la bonne, il se prétend « assez vieux », voire trop (« Plus à mon âge ») et donc à l'abri des égarements (« je sais parfaitement comment me conduire »), mais à l'élève, il veut faire croire qu'il est assez jeune pour résister : « Excusez cette femme... elle a toujours peur que je me fatigue. » Comme le comportement du maître est de surcroît très agressif : « Et puis de quoi vous mêlez-vous ? », le spectateur se pose des questions sur la nature du personnage. Sa timidité n'était-elle qu'un masque ? Le changement de scène correspond donc à une évolution du professeur autant qu'au début de la leçon de mathématiques.

Cette tension dramatique disparaît au cours du *premier mouvement de la scène 5* (p. 99-105). Les sombres pressentiments surgis à la scène 4 sont effacés par un comique satirique proche de celui de la scène 3. On y voit un pédagogue de bonne volonté dépassé par l'incommensurable sottise d'une élève, elle aussi consciencieuse. On en déduit que si l'addition va de soi, il est bien difficile d'apprendre à soustraire.

C'est l'intrusion d'objets fictifs (p. 105) qui amorce *le deuxième mouvement de la scène* (p. 106-115). Le professeur qui s'est levé pour les besoins de sa démonstration domine alors matériellement l'élève et lui impose une théorie inquiétante : « Il faut aussi désintégrer. C'est ça la vie. C'est ça la philosophie. C'est ça la science. C'est ça le progrès, la civilisation. » Passant ensuite du « feu » impliqué par les allumettes mentales (de son désir) à leur responsable concret : le corps de l'élève, il menace son visage de mutilations diverses. Le rythme rapide, voire militaire (une, deux), est celui d'un combat qui finit par tourner au désavantage de l'élève. Bloquée sur le plan de la compréhension intellectuelle, elle en est réduite à une attitude défensive (« Je n'en ai pas cinq, j'en ai dix »), doit répondre à la classique question piège : « qu'est-ce que je viens de dire », ou cacher sa déception sous un « tant pis » faussement indifférent. Quel contraste avec l'ambitieuse jeune fille de la scène 2, impressionnant un professeur ridicule ! Ce dernier a suivi la trajectoire inverse. De servile il est devenu cassant : « Il en est ainsi, mademoiselle. » Même à l'intérieur de cette cinquième scène on peut constater son évolution : il a démesurément applaudi la modeste opération $(1 + 1 = 2)$ mais refuse net son approbation face à l'exploit de mémoire qu'exige la fabuleuse multiplication de la p. 114 : « Je ne suis donc pas content... ça ne va donc pas, mais pas du tout. »

Aussi à la fin de la scène l'élève se place-t-elle en position de soumission : « Non, monsieur – Oui, monsieur. »

La scène 6 se déclenche, comme la scène 4, par l'arrivée inopinée de la bonne qui, c'est évident cette fois, écoutait aux portes. Elle a surgi après une phrase somme toute ambiguë : « Passons à un autre genre d'exercices » qui annonce aussi bien un autre programme du cours qu'un autre comportement physique du professeur. Sa présence souligne un nouveau palier dans l'action dramatique mais il n'y a pas simple répétition de la scène 4, même si une phrase entière est reproduite : « Vous ne direz pas que je ne vous ai pas averti ! » D'abord son attitude est plus expressive (elle le tire par la manche à deux reprises), ensuite la mise en garde est plus dramatique : elle le supplie cinq fois « Monsieur ! » sans rien expliciter, mais lorsqu'elle précise, elle ne dit plus comme à la scène 4 : « Je vous recommande... vous feriez mieux », elle proclame solennellement : « Il ne faut pas » et prophétise à deux reprises : « La philologie mène au pire ! » De son côté, le maître répète également une phrase de la scène 4 : « De quoi vous mêlez-vous ? », mais se montre plus agressif. Il y a une notable différence entre « votre place n'est pas ici » et « À la cuisine ! À votre vaisselle ! Allez ! Allez ». Enfin il la chasse : « Sortez. » L'élève même, qui paraissait seulement naïve à la scène 4 – « Ça prouve qu'elle vous est dévouée » –, se montre niaise : « Au pire ? En voilà une histoire. » La nature du danger signalé dans la scène 4 paraissait physique (fatigue, énervement), ici au contraire on ressent une forte connotation d'interdit moral (« il ne faut pas !... Je suis majeur, Marie ! »). De cette comparaison entre les deux scènes on peut donc déduire que le mouvement de la pièce est celui d'une spirale : on repasse certes par des étapes similaires mais le degré d'intensité a augmenté.

La septième scène est consacrée à la leçon de linguistique. Désormais toute volonté pédagogique a disparu, le déséquilibre du dialogue est frappant : c'est un cours magistral que subit l'élève. D'abord éblouie : « Oui, monsieur, oh ! – elle frappe dans ses mains. », elle déchante très rapidement et finit par vivre un long cauchemar qu'elle scande de ses trente-quatre lamentations : « J'ai mal aux dents. » L'autorité du professeur s'y transforme en répression : « Silence », dit-il à deux reprises (p. 118), « N'étalez donc pas votre savoir... Taisez-vous. Restez assise, n'interrompez pas » (p. 121). Au douloureux refrain de son élève, il répond par un obsessionnel « continuons » (treize fois). Il semble la proie d'une hâte incontrôlable qui le pousse à déverser sur sa victime une effrayante logorrhée. En fait, semblable à quelque monstrueuse araignée, il hypnotise son élève, comme le sphinx immobilise Œdipe dans *La Machine infernale* de Cocteau. La philologie mène donc bien au pire puisque cette scène 6 réalise en quelque sorte un viol intellectuel.

Les exercices d'application qui commencent au bas de la p. 127 rétablissent un semblant de dialogue. Contrainte à répondre, la jeune fille s'enferme dans un comportement mécanique et passif : elle répète et « traduit » la phrase type si déroutante quoique correcte grammaticalement : « Les roses de ma grand-mère sont aussi jaunes que mon grand-père qui était Asiatique. » Elle la traduit donc du français... au français, à l'espagnol puis au néo-espagnol avec la résignation de ceux qui attendent la fin d'un cauchemar.

C'est au moment où il paraissait reprendre un objectif pédagogique (p. 131) : « Je vais tâcher de vous donner une clé... », que le maître se fait plus directement menaçant : « Aah ! nous allons nous fâcher. » Sa colère croît : « Je ne répondrais plus de moi » (p. 133), « Je vais vous les [les dents] arracher, moi » (p. 134), « Je vous fracasse le crâne ! » (p. 135). Le premier contact physique a lieu : il lui tord le poignet (p. 135) ; puis la tutoie : « Pas d'insolence, mignonne, ou gare à toi... » (p. 136). L'élève a certes quelques velléités de résistance : « Essayez donc ! Crâneur ! » mais elle renonce, résignée : « C'est comme vous voulez... Après tout... » (p. 138). Cette scène qui est comique sur le plan du contenu (le cours fonctionne aussi comme une réjouissante satire de la linguistique) crée une impression de malaise car, au nom d'une théorie délirante, la violence s'exerce sur un être désarmé par sa faiblesse physique et intellectuelle, inapte même à susciter la pitié. Le professeur s'est métamorphosé sous nos yeux en fou sadique.

Paradoxalement, alors que le ton a monté et qu'il n'y a sans doute plus besoin d'écouter aux portes pour savoir ce qui se passe dans la salle à manger, la bonne n'intervient pas d'elle-même. Vexée peut-être d'avoir été chassée, elle se fait supplier, le professeur doit même aller la chercher (p. 138). À *la scène 8,* il lui demande sa collaboration à la préparation du crime : « ... aller me chercher les couteaux », voulant ainsi obtenir sinon sa bénédiction, du moins sa protection. Certes, elle refuse son aide matérielle : « Ne comptez pas sur moi », mais, ironique et impersonnelle (« on le dit toujours », comme à la scène 4 : « on dit toujours ça »), elle se contente de jouer le rôle hypocrite d'une pythie : « C'est le symptôme !... Le symptôme final ! Le grand symptôme ! » Jamais elle ne s'adresse à l'élève, qu'elle pourrait faire fuir, et ne veut pas révéler le secret tragique. Au fond, la question du professeur (p. 138) : « Quel symptôme ? Expliquez-vous ? Que voulez-vous dire ? », de même que toute sa démarche générale dans cette scène, correspond peut-être à l'appel au secours de celui qui ne peut plus se contrôler mais voudrait qu'on l'arrête. Or, nouveau Ponce Pilate, la servante abandonne chacun à son destin, car elle ne répond pas non plus à la question de l'élève : « Que voulez-vous dire ? »

Rien ne peut plus empêcher l'assassinat, ni le viol qui le suit. La *scène 9* conduit

DÉTAILS DE HUIT ASSASSINATS,

Commis par un seul individu.

Dans la nuit du 15 mars dernier, je restai jusqu'à environ une heure à la taverne Buffaloe, jouant aux cartes, jurant et commettant toutes les abominations d'usage en semblable compagnie. Ma tête s'échauffa au point que j'eus peine à regagner mon logis. Le premier objet qui me tomba sous les mains, fut la hache fatale. Armé comme un boucher qui va à l'abattoir, je me lève et je pénètre jusqu'au lit où couchaient ma femme et mes enfants. Je n'hésitai pas un moment : je lui plongeai la hache dans le sein. Hélas! quelles étaient après les sensations qui m'agitaient! elles commençaient à se confondre. Je n'en continuai pas moins mon massacre, jusqu'à ce que ma femme et mes enfants restassent baignés dans leur sang.

Il est dans la nature d'un cœur féroce de ne pouvoir se rassasier de sang. Après avoir commis cet acte horrible sur ma propre chair, sur mon propre sang, mes deux domestiques devinrent l'objet de ma fureur. Soupçonnant mes intentions, ils cherchaient à s'échapper par la fenêtre de derrière. Ma mère aussi était déjà à moitié dehors : je courus vers elle, et lui amputai les jambes. Ma sœur éplorée se précipite vers moi, me demandant grâce, mais un génie infernal ne me permit point de m'arrêter, et je mis fin à l'existence de l'une et de l'autre. J'avais donc immolé huit victimes.

Mais, non content de ce que j'avais fait, j'allumai du feu dans la cheminée qui pouvait tenir une mesure de bois; là, je plaçai les cadavres de mes deux dernières victimes, ma mère contre la plaque de la cheminée, et ma sœur sur le devant. J'allai ensuite chercher les cadavres de mon épouse et de mes enfants, et je les brûlai également. Après avoir commis ces épouvantables crimes, je me sentis très abattu et très inquiet. Je m'attends à voir, à ma dernière heure, qui, je l'espère ne saura trop tarder, ces malheureuses victimes de ma rage venir me reprocher les horreurs dont je me suis rendu coupable.

Wilherbarne, condamné par la Cour d'assises de Lyon, à la peine de mort, a été exécuté sur la place publique de cette ville. Il était venu pieds nus et en chemise la tête couverte d'un voile noir.

COMPLAINTE A CE SUJET.

Air du château d'Elvire.

Une femme jeune et sincère,
Comblait mon amour et mes vœux,
Et de cette union si chère,
J'avais des enfants vertueux,
C'est alors que mon train de vie
Changea de ton et de façon,
Car la mauvaise compagnie
Avait gagné ma raison.

Un soir venant d'une chaumière,
Ivre de vin, plein de fureur,
De mes enfants et de leur mère,
Je jure de percer le cœur,
L'amour le titre de père
N'arrête mon bras infernal,
Et déjà le fer sanguinaire
Menace le lit conjugal.

De ces victimes innocentes,
Déjà le sang coule à grands flots,
Les cris de leurs voix expirantes,
Éveillent mes gens en sursaut,
Bitôt je vole sur leur trace,
Armé de mon fer assassin,
Et quoiqu'ils me demandaient grâce,
Je leur plonge dans le sein.

Pour échapper à la justice,
Et cacher mes noirs attentats,
L'enfer m'inspira la malice
D'allumer tous les échalas,
Pour terminer la tragédie,
Partout le feu fait des progrès,
Croyant au sein de l'incendie,
Ensevelir tous mes forfaits.

Imp. de P. Baudouin, rue des Boucheries-St-Germ., 38.

A. Guey : *Détails de huit assassinats, commis par un seul individu.* Bois gravé illustrant un fait divers. Musée national des Arts et Traditions populaires, Paris. Ph. © Réunion des Musées nationaux.

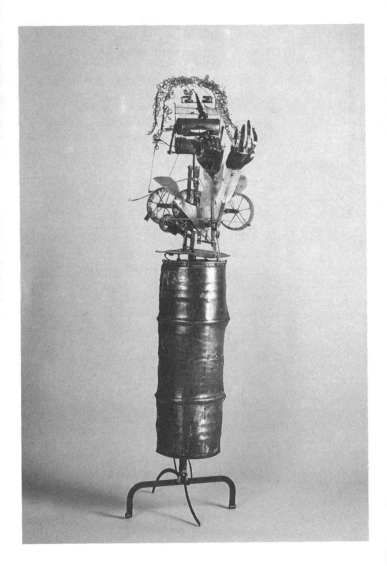

Gilbert Peyre : *La Jeune Fille qui se maquille*. Coll. Galerie Mostini, Paris. Ph. de la Galerie.

à ce paroxysme peu habituel au théâtre, à moins de remonter, en se bornant à la France, au début du XVIIe siècle. Le théâtre baroque, représenté par des dramaturges comme Alexandre Hardy ou Jean de Schélandre, ne manquait en effet pas d'audace. À propos d'une tragédie de Hardy, Antoine Adam écrit : « À lire la scène du viol dans *Scédase,* il paraît évident, si étrange que la chose puisse nous paraître, qu'elle se déroulait sous les yeux des spectateurs. » Quant au théâtre élisabethain, il n'hésitait devant rien. Paradoxalement, au début de la scène 9, l'imminence de la délivrance adoucit le maître. La séance de traduction se transforme, sous hypnose (« il suffira que vous prononciez le mot couteau dans toutes les langues, en regardant l'objet, de très près, fixement », p. 139), en apprentissage phonétique, ou plutôt rythmique. L'élève doit respecter deux exigences : « Répétez » ou « dites » (six fois) et « Regardez » (neuf fois) ; si elle s'en écarte, elle s'attire les foudres du professeur : « Qu'est-ce que vous vous permettez », mais autrement elle reçoit des encouragements : « C'est ça... Vous prononcez bien maintenant. » Toute l'ambiguïté de la scène vient de ce que la victime est dans un état second où les sensations, loin d'être anéanties, sont exaltées. À la fois « extasiée et exaspérée » (paronomase révélatrice), elle est amenée à une sorte de consentement, voire de désir de sa propre mort. L'objet qui cristallise l'attention n'est pas encore, comme dans *Tueur sans gages,* la photo d'un colonel, c'est plus abstraitement l'image sonore d'un mot, il est vrai prononcé par une sorte de colonel, un maître. Des sensations différentes concourent à l'envoûtement : le regard fixé sur un objet qui peut rester invisible, la parole rythmant les deux syllabes magiques (cou-teau), le halètement du professeur qui ne prononce plus que des mots de deux ou trois syllabes, en « mélopée », enfin le toucher : l'élève effleurant « les parties du corps qu'elle nomme ». On peut difficilement aller plus loin sur scène dans la transposition de l'acte sexuel. C'est maintenant que le viol en fait se réalise : « Vous me faites mal aux oreilles, aussi. Vous avez une voix ! Oh, qu'elle est stridente !... Ah... C'est vous qui me faites mal.... »

Le spectateur, transformé en voyeur, sadique de surcroît, est mal à son aise. Le meurtre proprement dit se déclenche d'une curieuse façon. « Attention... ne cassez pas mes carreaux... », dit le professeur avec une voix différente : réflexe petit-bourgeois bien ridicule pour qui s'apprête à faire pire ! Il est peu vraisemblable, dans un contexte aussi irréaliste, qu'il s'agisse de l'empêcher de fuir. En fait, on retrouve plutôt le mécanisme verbal de *La Cantatrice chauve* : « Touche pas ma babouche. » Là aussi jouent l'allitération (*ca*ssez, *ca*rreaux) et la récitation des voyelles : « le cout*eau tue* » (to-tu). Le langage n'exprime rien d'autre que l'intention agressive, nécessaire au geste ultime.

Le crime est mimé en Grand Guignol pour spectateurs avertis. Comique en un sens, parce que caricaturalement violent, il pourrait tout de même choquer, surtout en 1950. Aussi, « la position d'abandon trop explicite de l'élève n'a jamais été réalisée en scène. Marcel Cuvelier, par sa mise en scène du tango, donnait une transposition du rythme de l'acte sexuel qui rendait superflue cette indication prévue par l'auteur [1] ». Plus tard, d'autres metteurs en scène feront des choix différents. Ainsi au Japon, on n'a pas hésité à accentuer le réalisme de l'action par une position très significative des acteurs. Le résultat n'en est pas nécessairement plus inquiétant pour le spectateur. Le cinéma fantastique a su démontrer qu'il était plus angoissant de suggérer que de faire voir, car à un certain degré de grossissement, toute action est ressentie comme comique.

Après ce paroxysme, la tension dramatique chute brutalement avec les réactions infantiles du meurtrier : « Voyons, mademoiselle, la leçon est terminée », ce qui, somme toute, donne à penser sur les objectifs de l'enseignement.

La dixième scène (p. 144-149), conformément au schéma des drames shakespeariens, restaure le calme. Confirmant le message de la pièce, elle montre que le maître n'est dangereux que dans la situation du cours : la bonne résiste fort bien à son agression et même lui tord le poignet, comme il l'avait fait à l'élève (p. 135). C'est déjà un premier retournement de situation. Ensuite on s'attendrait à ce que Marie, outrée par l'assassinat, incarne la morale sociale. Mais, indulgente et même attendrie, elle se fait complice en organisant l'élimination du cadavre, en femme pratique. L'effet comique de la scène provient d'abord de la mauvaise foi enfantine du professeur (« ce n'est pas moi »). On croirait un petit garçon qui a cassé un vase

1. Simone Benmussa, *Ionesco,* © Seghers, 1966, p. 95.

et redoute une correction maternelle, qu'il reçoit d'ailleurs (p. 146) avec – selon l'intention de l'auteur – des gestes de farce, voire de cirque : la bonne lui donne deux gifles, il chute sur le derrière et, relevé par le collet, il se protège du coude. Même la manipulation du cadavre est traitée sur le mode comique : la servante ne songe qu'au côté pratique : « Allez-y, Monsieur. Ça y est ? » ; le maître, tardivement compatissant, s'inquiète : « Attention. Ne lui faites pas de mal. » Le corps rejoint les trente-neuf autres dans la pièce voisine, en attendant peut-être que les remords ne le fassent grandir démesurément comme dans *Amédée*.

Mais la grande surprise de la scène se trouve dans la révélation faite par Marie : nous avons assisté à la quarantième leçon de la journée. Toutes ont eu le même dénouement et cela se reproduit quotidiennement depuis vingt ans. L'invraisemblance absolue du chiffre, ne serait-ce que du point de vue horaire, a suffisamment dérouté pour que certains metteurs en scène le refusent. Ainsi, Ionesco rapporte avec beaucoup d'humour dans *La Quête intermittente* ses démêlés avec Peter Hall. « Il me dit, après avoir lu le texte anglais : "Mais votre traducteur est idiot." (C'était Donald Watson.) Cela se passait, je crois, vers 1954. "Vous n'avez tout de même pas écrit que votre personnage – le professeur de *La Leçon* – tue quarante élèves par jour depuis vingt ans. – Non, répondis-je à Peter Hall, ce n'est pas mon traducteur qui est idiot, c'est moi. En effet, le professeur de *La Leçon* tue quarante élèves par jour depuis vingt ans." Peter Hall fut ahuri. Je tâchai de lui expliquer qu'il y avait, dans *La Leçon,* une sorte d'humour noir, macabre, fantaisiste au plus haut degré. Bien qu'à peine convaincu, il accepta de mettre en scène *La Leçon...* "Mais, me dit-il, je vous en prie, apportez une petite modification, s'il vous plaît : votre professeur 'tuera' seulement quatre élèves par jour, quarante, c'est trop." J'acceptai » (p. 49). Le débat révèle à quel point certains esprits se rebellent contre l'absurde et veulent à tout prix l'atténuer. Pourtant il n'est guère plus raisonnable d'envisager que, au rythme de quatre meurtres quotidiens, un assassin qui ne se cache ni ne change de domicile ne soit pas arrêté en vingt ans d'« exercice ». Cela ferait tout de même une belle soustraction au nombre total de jeunes filles ! (pour le chiffre 40, se référer à la partie « Éclaircissements et notes »).

Le nombre de victimes banalise le drame. L'élève n'est pas une personne mais un numéro dans une série, elle n'a même plus le peu d'épaisseur psychologique qu'on aurait pu lui prêter. Mais son bourreau, qui additionne si mécaniquement ses meurtres, est lui aussi un instrument du destin, un « tueur sans gages », sorte de Sisyphe condamné à répéter indéfiniment un programme (mental et scolaire), livré à ses pulsions destructrices. Le mouvement perpétuellement circulaire de la pièce renvoie à la catégorie funèbre de la répétition.

La onzième scène relance le programme théâtral comme dans *La Cantatrice chauve.* Ce n'est pas seulement la confirmation du piège fantasmatique, c'est aussi le clin d'œil d'un auteur décidé à refuser même la notion de dénouement.

C'est donc la bonne qui, par ses entrées et ses sorties, souligne les paliers les plus importants dans la progression dramatique, marque le changement de programme dans le cours et surtout, par ses prédictions, accroît la tension dramatique. La pièce fonctionne en effet sur un transfert progressif de la vitalité de la jeune fille dans le personnage du vieux professeur. Les didascalies des pages 89-90 sont très éclairantes à ce sujet. Ionesco n'en avait pas une aussi nette conscience au départ puisqu'il rapporte avoir été frappé par une mise en scène à Lausanne : « C'était un petit bonhomme rhumatisant, un peu voûté, il jouait le professeur ; sa partenaire, l'élève, était une belle fille très saine. La mise en scène était très intéressante. Les projecteurs découpaient sur le mur les ombres des personnages, cela donnait une impression forte, surtout lorsqu'on voyait le renversement de la situation, cette fille saine qui était finalement pompée par cette espèce d'araignée qu'était le professeur. C'était plus qu'un viol, c'était du vampirisme » (*E.C.B.*, p. 120). À ce phénomène de vases communicants qui fait du pédagogue en chambre un Nosfératu de sous-préfecture, il faut ajouter une inversion progressive du rapport entre la communication intellectuelle et le domaine du corps. À l'entente du début correspondrait la discrétion de la dimension physique, alors qu'à mesure que la communication intellectuelle se grippe entre les personnages, le corps se manifeste de plus en plus.

III

UNE SATIRE
DU POUVOIR

Les années cinquante sont particulièrement propices à une réflexion sur le pouvoir : les ravages du nazisme et du stalinisme, désormais incontestables, ne permettent plus de rêver aux bienfaits d'une autorité éclairée. Ionesco n'y a, de plus, jamais cru : marqué dans son enfance par un père jugé tyrannique, il nous raconte dans un passage de *Présent passé/Passé présent* (publié en 1968, mais rédigé – pour cet extrait – en 1947) une scène où le comportement du père vis-à-vis de la mère est odieux, et déduit : « J'ai l'impression que c'est à cause de cela que je hais l'autorité... tout ce qui était autorité me semblait, et est injuste... Je sais que toute justice est injuste, et que toute autorité est arbitraire, même si cet arbitraire est appuyé par une foi ou bien une idéologie facile à démystifier » (p. 22-23). *La Leçon* va s'efforcer de saper les fondements de tout pouvoir au travers de l'un d'entre eux, non le plus prestigieux – mais le plus théâtral –, celui d'un professeur sur son élève. L'absence totale de tout renseignement sur le passé du personnage, sa vie hors des cours, ses goûts personnels, limite clairement l'interprétation. Ce n'est pas tel ou tel professeur qui nous est présenté, mais l'incarnation d'une abstraction, un simple rôle. Ionesco a quelque raison personnelle de choisir cette autorité parmi d'autres. Il s'est en effet heurté à des enseignants roumains comme il le rapporte à Bonnefoy : « Il y avait entre moi et les professeurs des oppositions... profondes qui n'étaient pas seulement, je crois, l'expression d'une fronde d'adolescent. C'était à l'égard de quelques professeurs de Bucarest qui étaient nazifiés à ce moment-là » (*E.C.B.*, p. 21).

Trois procédés sont simultanément mis en œuvre pour atteindre cet objectif. D'abord une caricature virulente annihile l'estime qu'on pourrait porter au personnage ; la faiblesse croissante du maître devant les pulsions érotiques permet de souligner toute l'hypocrisie du pouvoir ; enfin, sous nos yeux, une autorité légitime se métamorphose en tyrannie injustifiable.

LA CARICATURE
DE L'ENSEIGNEMENT.

De même que les Smith et les Martin de *La Cantatrice chauve* sont des stéréotypes qui représentent les idées reçues des Français sur les petits-bourgeois anglais, de même le professeur de *La Leçon* concentre en lui de nombreux traits caricaturaux qui hantent l'imaginaire des Français de l'époque. Une longue tradition littéraire a facilité la stylisation du personnage. Il a suffi à Ionesco de grossir ces défauts, déjà répertoriés, jusqu'à l'absurde pour créer cette marionnette, symbole de tous ceux qui se croient, à divers titres, responsables d'une éducation.

Une solide tradition dote les pédagogues d'un physique ridicule. Le « vieux tousseux » de docteur sophiste qui éduque Gargantua (ch. 15) a pour écho le professeur de la pension Legnagna (Vallès, *L'Enfant,* ch. 22) : « Il a une petite bouche pincée, il marche comme un canard, il a l'air de glousser quand il rit.... » Il suffit d'ailleurs d'observer les dessins vengeurs sur les tables d'écoliers pour constater la permanence de cette attitude. Le professeur de *La Leçon* correspond assez bien à l'image caricaturale d'un instituteur sous la IIIᵉ République. Sans doute Ionesco s'est-il souvenu de ses maîtres. Dans *Présent passé/Passé présent,* il raconte cette anecdote : « Le directeur de l'école communale, M. Robinet, la calotte noire sur la tête, sa petite barbe blanche, me dit : "Ce n'est pas trop mal, mais je croyais que tu serais un meilleur élève que ça" » (*P.P.,* p. 40). On reconnaît bien là le pédagogue de *La Leçon.* Ces caractéristiques se retrouvent partiellement chez Pagnol qui décrit ainsi Topaze : « Longue barbe noire qui se termine en pointe sur le premier bouton du gilet. Col droit, très haut, en Celluloïd, cravate misérable, redingote usée, souliers à boutons [1]. » Le personnage de Ionesco dénote le même désir de respectabilité : faux col dont le blanc souligne l'austérité des vêtements noirs : pantalons, souliers et cravate bourgeoise. La modestie des revenus manifestée chez Pagnol par l'usure des habits apparaît dans la médiocrité du logement personnel : un simple bureau – salle à manger où l'on range les assiettes et les couteaux comme le tableau et les craies. La blouse et les lorgnons sont des attributs professionnels quasi obligés, toutefois ils soulignent les

1. *Topaze,* 1928.

à-côtés matériels du métier : baisse de la vue, poussière des craies. La noblesse de la mission s'efface devant la mesquinerie des tâches. La preuve de cette humiliation est dans la position subalterne de Botard, petit gratte-papier dans *Rhinocéros*. Voici comment le voit Ionesco (acte II, tableau 1) : « Instituteur retraité, l'air fier, petite moustache blanche ; il a une soixantaine d'années qu'il porte vertement. (Il sait tout, comprend tout.) Il a un béret basque sur la tête ; il est revêtu d'une longue blouse grise pour le travail, il a des lunettes sur un nez assez fort ; un crayon à l'oreille ; des manches, également de lustrine. » La similitude des deux personnages est frappante. Cependant, la calotte noire du professeur de *La Leçon* indique une piste supplémentaire. Certes, les vieux maîtres ou intellectuels du XIXᵉ siècle portaient la calotte (Renan, Anatole France), mais ce couvre-chef est à ce point associé à l'état ecclésiastique que par métonymie il sert à désigner le clergé et le parti de ceux qui le soutiennent. À la lumière de cet élément, la longue blouse noire et le faux col blanc font songer à la soutane. La bonne signale d'ailleurs à son interlocuteur (p. 148) qu'il est « un peu curé à ses heures ». D'une façon très cocasse Ioneso réunit donc dans la même caricature les frères ennemis de l'éducation sous la IIIᵉ République : l'instituteur et le curé.

La dévalorisation physique est confirmée par le bégaiement initial du maître et la faiblesse de sa voix. On ne pourra donc pas dire que le pouvoir s'appuie sur la prestance corporelle. La fin de la pièce le rappelle bien puisque la bonne inflige une correction au professeur.

Évidemment ces didascalies ne contraignent pas les metteurs en scène. Marcel Cuvelier n'avait pas cherché à se vieillir, épurant ainsi davantage le personnage de tout contexte anecdotique.

À la base du prestige de l'enseignant et de ses compétences professionnelles, on trouve une solide référence : les diplômes. Ionesco s'est bien entendu amusé dans *La Leçon* à dévaloriser systématiquement le système universitaire. Le vocabulaire utilisé renvoie à des grades reconnus : le bachot, le doctorat (p. 96) mais tout est subrepticement perverti. Car l'élève titulaire d'un baccalauréat scientifique ne peut faire une soustraction élémentaire et n'est en aucun cas susceptible d'obtenir un doctorat. Est-il nécessaire de rappeler qu'il s'agit du grade le plus élevé qu'une université puisse conférer ? Il consacre la réussite d'un travail de recherche individuelle effectué pendant plusieurs années. Ainsi, suggérer (p. 94) que l'élève puisse se préparer en trois semaines au premier concours de doctorat relève de la farce pure. Ce n'est pas un concours, et, bien entendu, ce travail très spécialisé exclut l'adjectif *total* qui le qualifie (p. 95). La surenchère dans la prétention à un savoir universel débouche sur l'expression absurde : « mon diplôme supratotal » où le préfixe latin contredit la définition de l'adjectif.

À la confusion des diplômes s'ajoute celle des matières sur lesquelles ils se passent : « sciences naturelles » ou « philosophie normale » (p. 95). La précision apportée par les adjectifs paraît redondante par rapport au substantif, elle insinue nécessairement qu'il y ait des sciences immatérielles et une philosophie anormale. On trouvera également des « mathématiques spéciales » (p. 115). On se perd dans cet univers incohérent où le niveau d'enseignement, pour une même élève, passe d'une soustraction de cours préparatoire à un cours de philologie comparée qui normalement relève de l'université. Enfin, l'insertion professionnelle de la future diplômée est pour le moins déroutante : on envisage sans transition la responsabilité de professeur à l'École polytechnique et celle d'institutrice de maternelle supérieure (p. 113), ce qui, malgré l'adjectif, ne devrait pas exiger les mêmes compétences.

Une telle confusion, en totale contradiction avec l'élémentaire bon sens pédagogique, ne peut que jeter le discrédit sur le personnage du professeur.

La caricature des enseignants s'achève par un relevé presque complet des tics ou manies que des générations d'élèves ont su repérer. La servilité accusée du personnage dans les premiers moments (p. 90-100) correspond à la position sociale fragile d'un homme soumis au bon vouloir des parents d'élèves. Le malheureux Topaze vit plus nettement encore cette humiliante situation puisqu'il dépend d'un patron, directeur d'un établissement privé. Ici elle n'a pour but que de creuser le contraste avec l'évolution ultérieure car, au fond, rien ne justifie la modestie de ce maître qui de toute façon n'est pas payé et n'a jamais eu, apparemment, depuis vingt ans, affaire à des parents d'élèves attentifs au sort de leur enfant. On peut relever la forte redondance des formules polies : « je m'excuse » avec ses variantes : « je ne sais comment m'excuser, mes excuses, pardon, excusez-la » [la bonne] : quatre fois p. 90, deux fois p. 92, une fois p. 95, 98, 99, 102 et 103. Pour la première fois p. 105, c'est l'élève qui reprend cette formule, manifestant clairement une inversion de leur relation. Désormais le professeur ne l'utilisera plus du tout, alors que précisément les raisons de s'excuser paraissent plus pertinentes.

Parallèlement le maître nuance ses demandes ou ses questions par des formulations courtoises du style : « si vous me le permettez, si vous voulez bien, si vous n'y voyez pas d'inconvénient » (p. 91, 94, 95 deux fois, 96 deux fois, 97, 99, 102, 103 : et encore, cette fois la tournure est un impératif atténué : « comptez donc, s'il vous plaît, je vous en prie »).

Pour ces deux chaînes lexicales, le mécanisme est le même : abondantes dans la scène 3, elles diminuent de moitié dans la scène 5 et disparaissent ensuite. Ainsi le personnage révèle son hypocrisie : sa fureur finale sera proportionnelle à son humiliation initiale. Là se trouve peut-être la source d'un certain nombre de pulsions agressives.

Le professeur est affligé dans la dernière partie de son cours d'un de ces tics qui réjouissent le plus les potaches : il n'arrête pas de dire : « continuons » (treize fois), puis « dites, répétez » (six fois), « regardez » (neuf fois). La pauvreté du langage renvoie alors à l'obsession d'un homme borné. C'est l'image classique du cours magistral

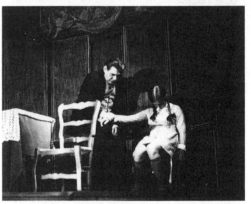

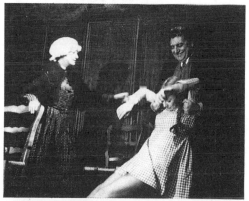

Quelques extraits
de *La Leçon*
mise en scène par
Marcel Cuvelier.
Ph. Éditions Gallimard.

où le maître pérore, gonflé de vanité, indifférent à son auditoire, pis : agacé par lui. La caricature est renforcée par l'absurdité des propos tenus car il n'y a rien de plus comique que des sottises proférées sérieusement par quelqu'un qui y croit.

On trouve également dans la pièce, poussées à leur paroxysme, les ficelles du pédagogue consciencieux. Il veut en effet encourager son élève et ne ménage pas les compliments (p. 92, 93, 101). Les félicitations décernées sont sans commune mesure avec l'effort fourni : connaître le nom de sa capitale, les quatre saisons ou additionner 7 et 1. Ensuite, lorsque le maître constate le blocage de son interlocutrice sur la soustraction, il tente une démarche logique : il explique donc le processus de la numération, puis a recours à des exemples concrets : des allumettes, les nez, les oreilles, les doigts, les bâtons. Malgré un agacement, somme toute explicable, il s'efforce de motiver son élève : « Voyons, réfléchissez. Ce n'est pas facile, je l'admets. Pourtant, vous êtes assez cultivée pour pouvoir faire l'effort intellectuel demandé et parvenir à comprendre » (p. 107). Il assume pleinement ses responsabilités professionnelles : « Je me suis mal fait comprendre. C'est sans doute ma faute. Je n'ai pas été assez clair » (p. 106) et essaie de se mettre à la portée de la jeune fille, en rabattant quelque peu ses ambitions : « Il faut savoir se limiter » (p. 103), « Limitons-nous aux nombres de un à cinq » (p. 111). Toutes ces tactiques de précepteur expérimenté font rire les spectateurs – et donc relèvent de la caricature – du fait du décalage absurde entre les efforts fournis et le résultat dérisoire, même pas atteint : retirer 3 de 4.

Enfin Ionesco fait la satire de ces maîtres vaniteux qui, pour valoriser leur savoir, compliquent ce qu'ils devraient clarifier : ainsi la définition de l'arithmétique (p. 97) ou le débat sur les unités (p. 104-105). Autant dans les premiers instants le professeur pouvait agacer par ses interminables précautions de langage, autant lorsqu'il a retrouvé son assurance il devient ridicule par ses prétentions à l'humour (p. 99 : « Je vous suis, monsieur. – Tout en restant assise ! »), sa propension à l'anecdote (p. 124, le si traditionnel camarade de régiment) et ses questions purement oratoires (ex. p. 134). Le jeu de scène signalé p. 118 (il se lève, se promène dans la chambre, les mains derrière le dos) va dans le même sens, ainsi que son refus des interruptions, pourtant pertinentes : « N'étalez pas votre savoir » (p. 121). L'élève doit alors se cantonner dans un rôle passif : « Soyez attentive et prenez note » (p. 130).

Le mouvement de la pièce permet ensuite à Ionesco de démasquer le tyran qui sommeille en tout éducateur. L'auteur passe ainsi en revue les divers procédés de mise au pas utilisés dans les classes. Du piège classique : « Mademoiselle... qu'est-ce que je viens de dire (p. 112) ou « Vous entendez ? Qu'est-ce que j'ai dit ? » (p. 135) à la répression brutale : « Silence ! Que veut dire cela ? » (p. 118) d'autant plus inadaptée que précisément l'élève venait de marquer son enthousiasme, le professeur utilise tout l'arsenal des réprimandes : l'argument d'autorité à visée humiliante :

« Ça ne s'explique pas. Ça se comprend par un raisonnement mathématique intérieur. On l'a ou on ne l'a pas ! » (sous-entendu : vous ne l'avez pas !) (p. 113), le chantage à l'insertion sociale : « Vous n'arriverez jamais à faire correctement un travail de polytechnicien » (p. 113) ou le très classique argument du professeur-désintéressé-dont-le-dévouement-n'est-pas-récompensé : « Mademoiselle, je dis ça pour vous ! Merde alors ! » (p. 134), « Ce n'est pas moi qui me présente au concours du doctorat partiel » (p. 137). Les autres reproches concernent la discipline et sont formulés en impératifs lapidaires : « Taisez-vous. Restez assise, n'interrompez pas » (p. 121), « N'interrompez pas ! Ne me mettez pas en colère » (p. 133), « Tenez-vous donc tranquille » (p. 135-136). D'une certaine façon, le meurtre devient l'aboutissement bouffon de la fureur d'un pédagogue qui ne parvient pas à ses fins : « Elle ne voulait pas apprendre ! » dit pour se justifier le professeur à sa bonne. La pièce prend finalement au pied de la lettre l'expression : bête à tuer !

Mais alors à quoi rime cette mission éducative dont se targue le maître puisque, en vingt ans de carrière, il n'a jamais trouvé d'élève qui veuille bien profiter de ses cours et a dû se résoudre à les éliminer ?

POUVOIR ET DÉSIR.

Le thème du professeur amoureux appartient lui aussi à une très vieille tradition : de la tragique aventure d'Héloïse et d'Abé-

lard aux héros de *La Symphonie pastorale*
de Gide en passant par *La Nouvelle Héloïse*
de Rousseau, tout un mythe s'est créé. Ce
sont toujours des amours interdites pour
des raisons sociales (basse condition de
Saint-Preux chez Rousseau), religieuses
(Abélard a prononcé ses vœux) ou morales
(le pasteur de Gide est marié). Il s'y ajoute
nécessairement un écart d'âge qui rapproche cet interdit de celui de l'inceste. Une
telle intrigue nous plonge donc en pleine
tragédie.

Mais des écrivains ont aussi traité ce
thème sur le mode burlesque : un maître
ridicule, victime d'Éros est encore plus
grotesque. Ainsi dans *L'Histoire comique
de Francion* de Sorel, Hortensius, pédant
de collège, maître de chambre du héros,
atteint le comble de la bouffonnerie en
tombant amoureux. Dans *Le Triomphe de
l'amour* de Marivaux, Hermocrate, philo-
sophe austère, précepteur d'Agis suc-
combe aux charmes de Léonide. Plus près
de nous, le professeur Unrath de *L'Ange
bleu* est saisi pour Lola Lola d'une passion
ravageuse où l'érotisme occupe la plus
grande place. Topaze lui-même est fortement troublé par une séduisante mère
d'élève.

Le personnage de Ionesco est en quelque sorte une synthèse de ces deux
tendances : tragique dans la mesure où il
transgresse tous les tabous, il conserve
cependant les éléments clés du comique :
un barbon amoureux au charme inopérant.

Comme il aime le faire, Ionesco réunit
donc tragique et comique par le biais d'un
grossissement énorme : le professeur n'a
aucun sentiment, il n'a que des désirs

physiques ; incapable de résister à ses pulsions, il passe à l'acte, non seulement avec une élève mais avec quarante, le tout quotidiennement et depuis vingt ans.

La situation, en quelque sorte familiale, du professeur est de celles qui fascinent Ionesco. Comme Choubert dans *Victimes du devoir,* Amédée dans *Comment s'en débarrasser* ou le Gros Monsieur dans *Le Tableau,* le personnage est englué dans une vie de couple routinière et morose ; dans les deux premiers cas il est marié, dans le troisième il vit avec sa sœur. Ici il forme avec la bonne un couple de comédie car le physique peu attrayant de cette dernière (forte, rougeaude) la cantonne aux tâches ménagères et à un rôle maternel. Parce qu'en plus elle lui résiste : « Je ne suis pas une de vos élèves, moi. – Faut pas me la faire ! » (p. 146-147), il n'a plus qu'à chercher ailleurs le bonheur. Ionesco tourne en dérision cet objectif dans *Le Tableau* : « Nous sommes les compagnons du même idéal : le bonheur, la satisfaction des instincts, des besoins !... de nos appétits et de notre amour-propre. Y a-t-il un idéal plus noble ? Non... » Ionesco considère généralement la sexualité comme dégradante. Par exemple, dans *Jacques ou la Soumission,* il la représente métaphoriquement par la boue. Dans le *Journal en miettes,* il explique : « Si on démystifiait le Désir et tous les désirs, c'est-à-dire toutes les manifestations particulières du Désir, les raisons, les secrets du Désir... les désirs s'anéantiraient... L'indifférence... pourrait faire que la vie ne soit plus insupportable » (p. 74). Du moins le Gros Monsieur, personnage principal du *Tableau* se satisfera d'un portrait marchandé à un artiste. Le professeur de *La Leçon* abuse, lui, de son autorité pour réaliser ses désirs. Il ne possède en réalité qu'un pouvoir relatif, lié au service que l'élève lui demande : elle a besoin de progresser intellectuellement, il doit lui en donner les moyens. Les ordres qu'il lui donne devraient être soumis à ce but. La répression ne peut logiquement être envisagée que dans la mesure où elle sert à canaliser une énergie qui se disperserait. En ce sens, son pouvoir est celui de toute loi sociale, qui contraint l'individu pour un bien supérieur.

Ionesco a tout fait pour rendre totalement injustifiable l'attitude de son personnage. À moitié curé, à moitié instituteur, portant bien nettement son âge, comme le signale la barbiche blanche, il s'attaque à des jeunes filles naïves – « vous êtes déjà assez savante » (p. 95) – trois fois plus jeunes que lui. Il pourrait presque être leur grand-père comme le signale le lapsus de l'élève (p. 128) : « ... aussi jaunes que mon grand-père quand il se mettait en colère ». La victime inventée par Ionesco n'est pas une banale jeune fille. Le décalage entre l'âge indiqué (dix-huit ans) et les propos tenus pendant le cours fait songer à quelque enfant attardée, personnage trouble comme le suggèrent certaines mises en scène : la Comédie de l'Ouest lui faisait porter des chaussettes et tenir une sucette géante [1]. Le maître se transforme alors en satyre abusant d'une enfant elle-même fort ambiguë. La pièce fait quasiment le tour des fantasmes sexuels.

Un point de vue moral sur le sujet nous ferait au moins assister à un conflit, un

1. Mise en scène de R. Guillo, 1975.

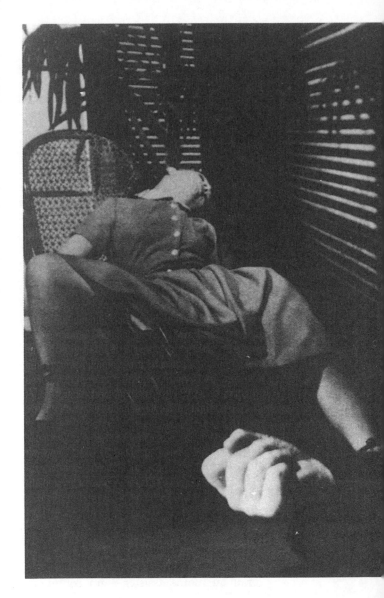

La Leçon en Suède, Stockholm. Coll. particulière. Ph. D.R.

cas de conscience. Les interventions de la bonne permettraient ainsi de montrer les hésitations et tourments d'un être qui lutte contre lui-même. Or, dans ces scènes, le professeur fait preuve de la plus grande mauvaise foi : « C'est mon affaire. Et je la connais », clame-t-il (p. 98). Jamais il ne veut songer à la contradiction entre sa mission et son attitude. Ainsi, ce n'est pas une argumentation morale qui le protégerait de ses pulsions mais la seule vieillesse : « Plus à mon âge », dit-il (p. 98) à Marie. Cette dernière n'envisage elle-même les événements que sous leur angle pratique : « il ne vous restera plus d'élèves » (p. 145).

Tout se passe comme si le dénouement, malgré sa monstruosité, était absolument logique : l'élève s'est montrée rebelle au savoir, elle est tuée. Que ce meurtre ait aussi servi des désirs personnels est refoulé dans l'inconscient du professeur. Pourtant, la pièce suggère que la colère professionnelle n'est qu'un prétexte face au motif fondamental : le désir, apparu bien avant que l'élève n'ait montré sa sottise.

On peut repérer dans *La Leçon* les signes, jeux de mots ou gestes qui constituent le langage du désir. Les didascalies de la p. 89 signalent déjà au lecteur la dimension érotique de la pièce : le professeur a « une lueur lubrique dans les yeux ». Mais le spectateur n'interprète pas nécessairement le signal. Peut-être s'étonne-t-il tout de même des sottises sur le beau temps proférées par le maître, juste avant ce qui, a posteriori, ne paraît plus une banalité : « vous apprendrez que l'on peut s'attendre à tout » (p. 92). C'est le premier jalon que Ionesco place pour préparer son public au dénouement. Il y en a un second aussitôt après, pour forcer l'attention : « Nous ne pouvons être sûrs de rien, mademoiselle, en ce monde. » Avouons que ce sont des préliminaires inquiétants. La morale nihiliste et paradoxale de la p. 106 : « Il faut désintégrer. C'est ça la vie » se transforme en menace voilée (p. 120) : « Nous y reviendrons plus tard... à moins que ce ne soit plus du tout » et même assez directe : « Toute langue, mademoiselle, sachez-le, souvenez-vous-en *jusqu'à l'heure de votre mort...* » Dans quelle mesure le professeur cède-t-il à des pulsions incontrôlables ? On est tenté de penser qu'il cherche plutôt des alibis dans sa fonction, de façon que croissent simultanément ou le désir et l'enthousiasme : « Magnifique. Vous êtes magnifique. Vous êtes exquise » (p. 101), ou le désir et la colère : « Ne me mettez pas en colère ! Je ne répondrais plus de moi. » À demi lucide, il envisage donc le dénouement mais refuse sa responsabilité : toute la faute retombe, à ses yeux, sur l'élève, et ce, quelle que soit l'étape du cours : « C'est vous qui m'embrouillez », accuse-t-il (p. 130).

Au départ, il suggère, par un glissement de sens de l'intellectuel au physique, qu'elle est provocante : « très avancée, même *trop* avancée » pour son âge (p. 94). Ensuite, lorsqu'elle a prouvé sa sottise, il prend des exemples de démonstration fort clairs. Il s'agit moins pour lui de soustraire que de désintégrer, montrant ainsi ce qu'il ferait s'il avait la jeune fille « à sa disposition » : arracher un nez, manger une oreille (p. 109). Ce sont des symboles psychanalytiques si nets que le professeur s'en rend compte : « L'exemple n'est pas... n'est pas convaincant. » L'élève sans doute aussi le pressent, puisqu'elle défend farouchement son intégrité physique en refusant ces mutilations, abstraites pour l'instant. L'allusion à Sardanapale est un nouvel indice : ce prince légendaire d'Assyrie aurait fait tuer ses femmes et incarnait la débauche sadique. Le tableau de Delacroix, *La Mort de Sardanapale,* illustre fastueusement ce thème romantique de l'amour et de la mort. De plus, chez Jarry, dans *Ubu cocu,* le pal fonctionne comme symbole sexuel. Mais la meilleure preuve du sadisme du professeur est dans le déroulement de la leçon de philologie : la souffrance de l'élève (« J'ai mal aux dents ») ne fait qu'exaspérer les exigences de son interlocuteur (il change brusquement de ton, p. 125), ou ses fantasmes : (« Je vais vous les arracher, moi ! », p. 134). Il poursuit impitoyablement son cours : « continuons » dans une direction qui ne concerne plus l'élève, désormais inattentive. C'est bien le signe que son véritable objectif est ailleurs. On retrouve donc les exercices d'entraînement de la p. 110 mais en menace directe : « Je vais te les arracher, moi, tes oreilles, comme ça elles ne te feront plus mal, ma mignonne ! » La vulgarité du vocabulaire, la forme syncopée du discours dénotent la mauvaise foi d'un homme qui se sert du langage pour accroître son agressivité et des plaintes d'autrui pour justifier son sadisme.

Le physique ingrat du professeur ne lui permettrait pas de séduire l'élève. Pour qu'elle se mette à sa disposition, qu'elle consente à se livrer à lui, il va se servir de son pouvoir. Mais l'arsenal répressif de l'enseignement n'y suffirait pas. Plus subtilement, il va utiliser le flot de paroles qui hypnotise d'autant plus qu'il est confus, voire incompréhensible. Ainsi l'objectif du cours : donner à l'élève le savoir est détourné ; le jeu pédagogique des questions et des réponses ne sert plus à faire progresser l'élève. Il ne s'agit plus de traduire d'une langue dans une autre : « Ça n'a plus d'importance... ça ne vous regarde pas » (p. 140). L'apprentissage se réduit à la répétition d'un mot de deux syllabes : l'élève a régressé mais elle s'est soumise. Les ordres qui lui ont été donnés ne visaient pas à la préparer au concours du doctorat partiel. Tout cet hypocrite échafaudage s'effondre lorsque le professeur « bredouille », juste après le meurtre, en faisant un chiasme lourd de sens : « C'est bien fait... ça me fait du bien... » (p. 144).

Par le grotesque monstrueux du viol d'une jeune fille par un précepteur libidineux, Ionesco dénonce les arrière-pensées perverses de tout pouvoir : on ne commande jamais pour le bien commun mais pour le sien propre. Le policier est un tueur et inversement, comme le démontre *Victimes du devoir*. L'efficacité de la pièce vient de ce que le viol des consciences que les idéologies religieuses ou politiques s'efforcent de réaliser est transposé sur le plan physique. En 1966, Ionesco, s'adressant à Bonnefoy, reprend la même analyse : « Toutes les idéologies, marxisme inclus, ne sont que les justifications et les alibis de certains sentiments, de certaines passions, d'instincts aussi issus de l'ordre biologique » (*E.C.B.*, p. 25).

AUTORITÉ ET FOLIE.

Si l'autorité n'est pas au service de la raison, elle perd toute légitimité. C'est pourquoi il est nécessaire que, dès le début du cours, le spectateur n'adhère pas au discours professoral. Paris n'est pas un chef-lieu. Pourtant les personnages tombent d'accord sur ce point, c'est donc qu'ils connaissent d'autres vérités que nous ; leur monde nous est étranger. L'absurde qu'a choisi Ionesco était la seule solution qui permette au spectateur de comprendre les mécanismes d'une autorité mise à nu.

Imaginons que le professeur dise des choses sensées : sa colère s'expliquerait, serait partiellement partagée par le public. Inversement, si l'élève seule énonçait des vérités, elle aurait affaire à un fou et nous prendrions parti pour elle.

Dans *La Leçon* le contenu du cours n'est jamais rationnel. Les solutions à l'opération 7 + 1 ne sont pas immuables : elles varient en fonction du nombre de fois où la question est posée. On peut donc finir par trouver 9 (p. 101). Tout savoir est vain, il ne découvre que ce que l'instinct savait déjà (p. 137). On peut certes apprendre par cœur des opérations fantastiques mais buter sur une soustraction élémentaire. Que le professeur se gargarise de connaissances philologiques dont le spectateur perçoit l'absurdité va de pair avec les questions stupides de l'élève, du genre : « Les racines des mots sont-elles carrées ? » (p. 125). Ce qui sépare ces personnages n'est pas une différence de savoir mais de pouvoir : l'une s'est soumise à l'autre et nécessairement il y aura abus. C'est bien le sens du dénouement : à quarante cours par jour pendant vingt ans, il n'y a jamais eu d'exception.

Ionesco, qui avait sans doute en tête ses professeurs roumains « nazifiés », avait prévu (et a maintenu dans l'édition Folio) une allusion politique. La bonne, pour protéger le maître des suites sociales de ses meurtres, lui attache un brassard, « peut-être le svastika nazi ». L'idée de Ionesco était vraisemblablement de prendre pour cible l'ensemble des autorités et des idéologies politiques et religieuses (le curé a déjà été mentionné p. 147) par le biais de ce parti malfamé, mais le danger était de restreindre la portée de la pièce en lui donnant un contexte historique trop précis. De même que dans *Rhinocéros* la maladie contagieuse qui ravage le sens critique de la population n'est pas nommée, de même, le professeur doit rester un monstre universel, celui qui sommeille au fond de nous, celui qu'à un autre degré, nous laissons faire : « D'ailleurs, les gens ne demandent rien, ils sont habitués » (p. 148).

Ainsi, l'autorité se trouve complètement démystifiée : d'une part le pédagogue est un monstre aux pulsions purement sexuelles, d'autre part il est grotesque, physiquement comme intellectuellement. Il est impossible de faire un héros du mal de ce minable répétiteur que la dernière scène nous montre infantile. L'enseignement est donc loin d'être seul concerné par cette virulente satire : il n'est qu'un des aspects d'une autorité protéiforme à laquelle Ionesco s'attaque dans d'autres pièces : le policier *(Victimes du devoir)*, les parents *(Jacques ou la Soumission)*, le chef de bureau ou l'ami qui a bonne conscience *(Rhinocéros)*, les critiques littéraires *(L'Impromptu de l'Alma)*. Le pessimisme profond de la pièce vient de ce qu'aucune liberté n'y est revendiquée par un personnage sympathique. L'élève ne fait preuve d'aucune dignité. Même le dénouement de *1984* d'Orwell n'est pas aussi radical, puisque le héros, Winston, malgré son échec, a su mener une révolte courageuse. Ionesco ne restera pas longtemps sur cette position : la création de Bérenger, personnage reparaissant dans plusieurs pièces, signale son retour à l'humanisme.

IV   LA PHILOLOGIE MÈNE AU PIRE

Si *La Cantatrice chauve* présente une tragédie du langage où les clichés finissent par tourner à l'absurde, puis par s'autodétruire dans une explosion de syllabes, *La Leçon* démontre qu'une tragédie peut naître d'un emploi pervers du langage. C'est par des mots que le viol initial s'effectue ; le meurtre lui-même résulte de l'ultime traduction, concrète celle-là, du mot « couteau ». Comme chez les Smith et les Martin, les automatismes du langage s'accompagnent d'une absence de vie intérieure qui laisse toute la place aux pulsions agressives. La dispute finale de

La Cantatrice chauve se transforme ici en assassinat car nous n'avons plus affaire à des petits-bourgeois qui tentent de passer le temps, mais à un spécialiste du langage, qui n'existe en tant que professeur (or Ionesco ne lui a donné aucune autre dimension) que s'il communique son savoir. Il a la maîtrise de la parole et manœuvre pour la monopoliser, son idéal étant de faire répéter des phrases d'abord, puis des mots, des syllabes enfin, à son interlocutrice ainsi réduite à la passivité et au silence définitif.

Ce « dérèglement du langage » se fait très progressivement : la pièce commence par jouer sur les clichés de façon qu'un léger coup de pouce les rende absurdes et risibles ; les liens logiques sont ensuite sabordés ; enfin le discours professoral accède au non-sens, qu'il s'agisse de traduction, de prononciation ou de culture.

DES CLICHÉS PERVERTIS.

Les personnages commencent par échanger les banalités classiques entre deux individus qui prennent un premier contact. Le sujet de départ est fourni par la petite ville. La description qu'en fait l'élève est doublement comique. D'une part, le moins qu'on puisse dire est qu'elle manque de pittoresque : « c'est une jolie ville, agréable, un joli parc, un pensionnat, un évêque, de beaux magasins, des rues, des avenues... » (p. 91). Un professeur de collège protesterait contre la platitude des adjectifs, si peu descriptifs, contre l'accumulation hétéroclite d'éléments non distinctifs puisque toute ville, par définition, comporte des magasins, rues, avenues... Nous n'avons pas la description d'une ville précise mais un relevé de vocabulaire (style *Assimil*) sur la notion de ville. D'autre part, cette série de banalités est perturbée par un mot intrus : « un évêque », coincé entre le pensionnat et les magasins. S'agirait-il d'une expression elliptique renvoyant à une statue, fleuron d'une place provinciale comme les décrit Flaubert, ou plutôt d'une allusion, par métonymie, à une ville bien-pensante et calme ? Image qui s'effondrera lorsqu'on apprendra que ce n'est pas un problème d'y faire circuler un convoi de quarante cercueils ! L'absence totale de commentaires de la part de l'enseignant, qui adhère à ces platitudes étranges : « c'est vrai, mademoiselle », n'est pas le moins surprenant de l'affaire.

On ne s'explique guère non plus pourquoi le professeur a recours (p. 92) aux constatations météorologiques. Le cours semblait avoir commencé avec le test sur les chefs-lieux. Poussant à l'absurde ces lieux communs, Ionesco ridiculise son personnage dont les hésitations sur le temps sont cocasses et le vocabulaire aussi indigent que celui de l'élève : « il fait beau... il ne fait pas trop mauvais ». L'affirmation de départ se trouve répétée par trois tournures négatives : le discours s'enlise dans les évidences et les définitions mécaniques car il est hors de propos de préciser en été qu'il ne neige pas.

Les stéréotypes sur les études achèvent logiquement la scène 3. L'élève débite, en phrases courtes, un condensé des ambitions bourgeoises : « Mes parents dési-

rent... ils veulent... ils pensent » (p. 94).
Mais le sel du passage est dans le contraste
entre le mince savoir dont l'élève vient de
faire preuve et sa prétention à détenir une
« solide culture générale », qu'il ne lui
resterait plus qu'à approfondir. Cette fois
encore, Ionesco renchérit sur les conventions en jouant sur les définitions et
synonymes : « La vie contemporaine est
devenue très complexe – Et tellement
compliquée » (p. 94).

À ces clichés on peut ajouter quelques
manifestations d'un dialogue purement
mécanique, où le langage s'enraye. Ainsi,
certaines excuses sont totalement inappro-
priées, même dans un contexte mondain :
par exemple, « je m'excuse, mademoiselle,
j'allais vous le dire » (p. 92, *idem* p. 94).
D'autre part, le dialogue se bloque sur les
répliques « Une-Deux » (p. 109) anormalement longtemps. Cela reprend le mécanisme mis en scène pour *La Cantatrice
chauve,* p. 59. Ou bien une réponse est
répétée systématiquement, comme « Oui,
monsieur » que, des p. 115 à 122, l'élève
utilise quinze fois, dont l'une est particulièrement hors de propos : « Le professeur : Je suis majeur, Marie ! – L'élève :
Oui, monsieur » (p. 117). C'est par le
même procédé que la jeune fille répète
docilement, comme un appareil enregis-
treur mis en marche : « Une unité,
mademoiselle ! Qu'est-ce que je viens de
dire ? » (p. 112, voir aussi p. 135), montrant
clairement que le sens des phrases lui est
indifférent, ainsi d'ailleurs qu'au professeur qui se satisfait de ces réponses.
Lui-même, à l'instar d'un disque rayé,
ressasse un segment de phrase non signi-

fiant : « Mais ça n'ira pas comme ça, pas comme ça, pas comme ça, pas comme ça... » (p. 137).

Comme une mécanique mal entretenue, le langage patine : la pensée en est absente. L'élève ne comprend rien et le discours du professeur trahit surtout sa libido.

DE L'IDENTITÉ
DES CONTRAIRES.

Ionesco se plaît à démontrer la faillite du langage en multipliant les contradictions. *La Cantatrice chauve* en offre un florilège particulièrement réussi sur « la veuve Watson » (p. 17-18). Dans *La Leçon*, les contradictions sereinement assumées perturbent les premiers échanges des personnages : « Le professeur : Vous avez eu de la peine à trouver la maison ? – L'élève : Du tout... Pas du tout. Et puis j'ai demandé » (p. 91). Demander son chemin signifie pourtant qu'on a eu quelques difficultés à le trouver soi-même. Il est tout aussi contradictoire d'entendre le professeur souhaiter vivre « à Paris ou au moins à Bordeaux » alors qu'il avoue ensuite ne connaître ni la première ville ni la seconde.

Ce sont encore de légères anomalies. Mais la notion de grandeur soulève un problème plus sérieux. Pour quelqu'un qui a assimilé l'addition et donc la numération, la question posée par le professeur est simple : « Quel nombre est plus grand ? Trois ou quatre ? » (p. 104). Mais l'élève s'inquiète : « Dans quel sens le plus grand ? », ce qui implique une confusion entre l'ordre (effectivement croissant ou décroissant) et la notion de supériorité. L'élève récite abstraitement des chiffres qu'elle ne peut relier à aucune réalité concrète. Il serait tentant de conclure à sa débilité. Seulement le professeur est à son tour gagné par le vertige. Après avoir posément expliqué que « dans les nombres plus grands il y a plus d'unités que dans les petits », il s'emballe : « À moins que les petits aient des unités plus petites. Si elles sont toutes petites, il se peut qu'il y ait plus d'unités dans les petits nombres que dans les grands. » Cette hypothèse sape le raisonnement de base des mathématiques dont la numération s'appuie sur la stricte égalité des unités : 2 = 2 unités ; sinon, le chiffre deux ne correspondra plus à rien. Que les objets comptés soient minuscules ou gigantesques, simples ou complexes, ne change rien à l'affaire. La confusion atteint son comble avec cette conjecture : « Supposons que nous n'avons que des nombres égaux, les plus grands seront ceux qui auront le plus d'unités égales. » Ce superbe non-sens résulte d'un mélange entre l'égalité de valeur de chaque unité et leur égalité en quantité. Il aurait donc fallu dire : « Supposons que nous n'avons que des nombres aux unités de valeur égale, les plus grands seront ceux qui en auront le plus. » Dans la phrase du professeur, la proximité des éléments contradictoires (les plus grands des nombres égaux) brise la signification des mots. Paradoxalement, l'élève a suivi ce « raisonnement » étrange, ce qui contraste avec son inaptitude à la soustraction.

En désespoir de cause, parce qu'il se voit trahi par le langage, le maître se rabat sur les questions tautologiques : « quel nombre sera le plus grand, le nombre plus petit ou le nombre plus grand ? » ou « combien en auriez-vous, si vous en aviez cinq ? » (p. 110). La question n'est plus mathématique, elle est linguistique : on commence déjà à « traduire », et laborieusement, comme le prouve la vérification de l'élève : « Qu'entendez-vous par le nombre le plus grand ? Est-ce celui qui est moins petit que l'autre ? » On n'en finit plus de se mettre d'accord sur le sens des mots.

Le malentendu de la p. 106 relève nettement encore du vocabulaire : l'élève confond les unités et les nombres. Car, s'il y a bien une unité entre 3 et 4, il n'y a aucun nombre intermédiaire. Mais sur ce point aussi les explications magistrales manquent de clarté : montrant (p. 112) des bâtons, de surcroît invisibles, le professeur affirme successivement : « Ce sont des bâtons... ce sont des nombres. » Le passage à l'abstrait ne se fait donc pas. Le résultat est la désarmante interrogation de l'élève : « Les bâtons sont bien des chiffres et les nombres des unités ? » Or les bâtons ne servent qu'à concrétiser les unités et les chiffres sont des signes représentant les nombres. Le concret et l'abstrait sont confondus.

L'échec du cours d'arithmétique est avant tout celui du langage. Parce qu'ils ne s'entendent pas sur le sens des mots, les deux interlocuteurs capitulent : « Ça ne s'explique pas. – Tant pis ! » La démarche qui conduit le professeur à aborder un cours de philologie (étude d'une langue ou d'une famille de langues, fondée sur l'analyse critique des textes)

Eugène Ionesco lisant *Le Matin*. Coll. particulière. Ph. D.R.

paraît donc saine – quoique bien ambitieuse. Il faut vider l'abcès.

LA TRADUCTION.

Malheureusement, ce n'est pas ce cours qui va sauver la communication de l'impasse où elle s'engage. Il ne fait au contraire qu'accroître la confusion en s'attaquant au concept semblable-différent, fondamental dans toute analyse intellectuelle. La tirade centrale de la p. 119 fonctionne sur un glissement des compléments du verbe distinguer. Initialement, il s'agit de savoir ce qui distingue les langues néo-espagnoles *entre elles,* puis on passe au caractère distinctif de *l'ensemble* qui est « leur ressemblance frappante ». Dès lors, dans cette longue phrase, les mots, devenus fous, vont s'associer par paires contradictoires liées par une relation cause-effet : « ce qui les distingue, c'est leur ressemblance », « leurs caractères distinctifs » deviennent des « preuves absolument indiscutables de l'extraordinaire ressemblance... qui les différencie profondément ».

Ainsi, tout s'annulant, on aboutit à l'ineptie des « ressemblances identiques » (p. 130) et au paradoxe de langues « si diverses malgré qu'elles ne présentent que des caractères identiques » (p. 131). De même que le spectateur ne voyait pas les bâtons, de même il ne saisit aucune différence entre les versions successives de la phrase type : « Les roses de ma grand-mère sont aussi jaunes que mon grand-père qui était asiatique » (p. 127).

Ionesco pousse l'absurde au degré suprême car le professeur, après avoir déclaré catégoriquement que « tous les mots concevables dans toutes les langues » (p. 127) sont toujours identiques, va pourtant exiger une traduction – première contradiction – et en français. On avait pourtant l'impression que le cours se déroulait dans cette langue ! (Le professeur l'a d'ailleurs reconnu, p. 119 : « notre français ».) Ainsi les mécanismes classiques de l'apprentissage d'un idiome tournent à vide. Comme tout potache, l'élève demande : « Comment dit-on grand-mère en français ? » et, imperturbable, le professeur répond : « En français ? grand-mère. » Dans ce domaine, le jeu le plus élaboré concerne le roumain (petit clin d'œil à la patrie) : « Comment dit-on roses en roumain ? – Mais "roses", voyons. – Ce n'est pas "roses" ?... – Mais non, mais non, puisque "roses" est la traduction en oriental du mot français "roses" » (p. 131). La deuxième question de l'élève (ce n'est pas « roses » ?) est tout à fait indispensable au bon fonctionnement de la scène qui risquerait, si la jeune fille entendait et comprenait les mêmes choses que le spectateur, d'isoler le professeur dans sa folie. L'illogisme s'achève par le refus aussi péremptoire qu'incohérent du maître : « C'est faux. C'est faux. C'est faux » (p. 129).

Aussi attend-on avec impatience la clé que l'enseignant annonce (p. 131) mais dont Ionesco va retarder la révélation pour valoriser son côté bouffon ; « c'est une chose ineffable » (ce qui, dans le domaine de la linguistique, est tout de même un comble) qu'on ne peut percevoir qu'avec

« du flair ». Nous voici dans la même impasse que pour les mathématiques.

Affirmer qu'il n'existe qu'une seule et même langue est évidemment une aberration. Le dialogue rapporté en exemple (p. 136) entre un Français et un Espagnol qui, parlant chacun leur langue, se comprennent cependant parfaitement, fait songer aux histoires absurdes de *La Cantatrice chauve* mais peut aussi être une de ces plaisanteries bâties sur un préliminaire impossible : personne ne peut dire : « je souffre de mes deux foies à la fois » pour la raison que nous n'avons qu'un foie.

La clé véritable de ce cours est apportée par les exceptions (p. 133-134). Sur le concept de patrie, les locuteurs de nations différentes vont diverger : le Français dira France et l'Italien Italie. Non sans logique, le professeur déduit : « Pour le mot Italie, en français, nous avons le mot France qui en est la traduction exacte. » Il en va de même pour les capitales : c'est une réalité géographique relative au locuteur, qui effectivement désigne sa nationalité, si toutefois il la nomme. Or, Ionesco renforce l'humour en n'envisageant que l'incertaine solution « de deviner quelle est la métropole à laquelle pense celui qui prononce la phrase ». L'ensemble du cours fonctionne donc sur la confusion concept-mot : le professeur déduit de l'identité de la nature humaine (voire de l'interchangeabilité des individus – *cf.* la conception de la pluralité) que les mêmes notions s'expriment nécessairement par des mots identiques. Son travail en est extrêmement simplifié. Il n'a plus à apprendre des traductions, inutiles, mais des notions. D'où l'intérêt primordial, pour lui, d'enseigner à l'élève le mot « couteau », précisément fort polyvalent par sa symbolique sexuelle. Mais il n'est même pas cohérent avec lui-même, puisqu'il appelle la bonne « pour aller [lui] chercher les couteaux espagnol, néo-espagnol, portugais, français, oriental, roumain, sardanapali, latin et espagnol ». Cette impressionnante panoplie laisse supposer qu'ils ont tous des caractères distinctifs évidents, ce qui permettrait de les reconnaître en prononçant le mot. C'est un peu comme si on faisait répéter « drapeau » à un enfant devant un exemplaire de chacun des emblèmes nationaux.

Un appauvrissement aussi vertigineux des langues – réduites à une seule – fait songer au novlang inventé par Orwell dans *1984*. Dans l'appendice qui suit son roman, l'auteur anglais développe les ravages occasionnés par une langue qui vise à l'anéantissement de l'esprit et explique : « Les mots du vocabulaire B gagnaient même en force, du fait qu'ils étaient presque tous semblables. Presque invariablement, ces mots... étaient des mots de deux ou trois syllabes dont l'accentuation était également répartie de la première à la dernière syllabe. Leur emploi entraînait une élocution volubile, à la fois martelée et monotone... Le but était de rendre l'élocution autant que possible indépendante de la conscience » (Folio, p. 433).

Au-delà de la satire, l'intention de Ionesco est peut-être de frapper le langage de nullité : les hommes se comprennent

malgré lui, comme le dramaturge l'explique dans *La Quête intermittente* : « Pas
besoin de mots qui ne font que tout
embrouiller, tout est pareil chez nous tous,
les milliards d'êtres humains que nous
sommes » (p. 30).

LA PRONONCIATION.

Puisque la traduction se limite à la simple
répétition du même mot, il devient fondamental de le prononcer correctement.
Ionesco a donc fait de cet aspect d'un cours
de langue étrangère, dont il a l'expérience
en tant que professeur, une obsession pour
son personnage : « la prononciation à elle
seule vaut tout un langage » (p. 124). Sans
doute aussi se rappelle-t-il sa pratique de
la *Méthode Assimil* qui met en garde ses
utilisateurs : « N'oubliez pas qu'avec
l'accent tonique mal placé, un mot devient
souvent incompréhensible aux oreilles anglaises » (p. 264). De surcroît, il utilise
peut-être son expérience de jeune père qui
apprend le langage à sa fillette de six ans.
Car le professeur de *La Leçon* qui prétend
faire prononcer correctement à l'élève des
mots de sa propre langue assimile ses
fonctions à celles d'un père.
    La prononciation est d'abord prétexte
à un comique de farce. Gestes à l'appui,
l'enseignant précise : « Il est recommandé,
dans la mesure du possible, de lever très
haut le cou et le menton, de vous élever
sur la pointe des pieds [...] et d'émettre
les sons très haut » (p. 121). Le ridicule
de la posture est renforcé par deux
cocasseries verbales : d'une part, comment

pourrait-on lever le cou ? d'autre part, l'adverbe « haut » pris dans deux acceptions différentes entraîne un jeu de mots entre parler haut (fort ou aigu) et lancer en altitude. L'image donnée du locuteur est alors fantastique : « Finalement, les mots sortent par le nez, la bouche, les oreilles, les pores, entraînant avec eux tous les organes que nous avons nommés, déracinés dans un envol puissant » (p. 123). Les mots se métamorphosent donc en objets, l'opération se déroulant dans un contexte de violence.

La parodie de cours se poursuit logiquement par des applications aussi absurdes que les théories. Le premier exercice concerne « les consonnes qui changent de nature en liaisons » (p. 122). Les règles énoncées ne sont déjà que partiellement justes car le changement de f en v n'est pas systématique : certes on prononce neuf (v) heures, mais on dit neuf (f) enfants. Tout s'effondre avec le « vice et versa ». Introduire la réversibilité en phonétique, c'est manifester clairement que le langage a perdu son sens. Comme on s'en doute bien, les cas d'applications sont sans rapport avec la règle. On ne trouve donc qu'un k, qui ne peut se changer en g : « le coq au vin ». Autrement, il y a deux liaisons où s devient z ; ce qui est amusant, c'est que ce sont précisément les mots qui servent traditionnellement d'exemples pour les modifications de f en v, alors que le professeur omet de les faire précéder d'un terme se finissant par f. Les deux derniers exemples : « l'âge nouveau, voici la nuit » sont totalement dépourvus de liaison.

L'anecdote du copain de régiment vient conforter la loi de la pièce sur la confusion semblable-différent. La tirade est saturée de plaisanteries. La difficulté d'élocution du personnage concerne illogiquement la lettre *f* et non le son *(ph)*, ce que l'exemple de Philippe infirmera. Toute une série de termes commençant par *f* sont censés mal prononcés et donc corrigés dans une deuxième partie, normative, de la phrase ; l'ensemble fonctionne autour de la locution « au lieu de ». Mais il n'y a aucune différence entre les deux expressions. Personne ne peut saisir le défaut de prononciation du vicomte sur les *f*. En revanche, on perçoit une erreur sur les *v* : il dit « fictoire au lieu de fictoire ». Mais, malicieusement, Ionesco ne fait pas rectifier l'expression par le professeur. Partout ailleurs, ce dernier prononce correctement le *v* (février, avril), mais pas là ! À partir de « février », le pédagogue perd le contrôle de son sujet (à supposer qu'il l'ait jamais eu) et se laisse porter par les associations d'idées : février appelle mars-avril, avril entraîne Gérard de Nerval, peut-être en tant qu'auteur d'un poème qui porte ce titre dans *Odelettes* ; Mirabeau vient ensuite, appelé sans doute par la culture scolaire ou, comme dans les charades à tiroirs, parce que c'est en *juin* qu'il prononça la célèbre apostrophe : « Nous sommes ici par la volonté du peuple et nous n'en sortirons que par la force des baïonnettes ! » Il n'y a plus aucun mot commençant par *f*, ce qui est déjà bien absurde ; pourtant Ionesco pousse le jeu plus loin. Le personnage semble clore la tirade par « etc. » mais, emporté par son

élan, il continue : « etc., au lieu de etc. »
La structure grammaticale tient lieu de
pensée. Une ultime contradiction clôt
l'épisode : ce vicomte, dont la mésaventure
devait prouver qu'« une mauvaise prononciation peut vous jouer des tours », n'a eu
aucun problème : « on ne s'en apercevait
pas » parce qu'il savait « cacher son défaut,
grâce à des chapeaux ». Une telle solution
correspondrait mieux à quelque cantatrice
chauve !

Méthodiquement, Ionesco poursuit son
constat d'échec sur le langage. À force de
dire des platitudes, on a perdu le sens des
mots et voici que s'effondre leur prononciation. La voie est donc ouverte à tous
les non-sens possibles. Mais, alors même
qu'il démontre par l'absurde toutes les
aberrations auxquelles peut conduire un
langage qui n'est pas irrigué par la pensée,
Ionesco fait preuve d'imagination et de
brio et, rejoignant Lewis Carroll, exploite
l'aspect ludique du langage.

NON-SENS.

Lorsque le professeur recommande d'arti-
culer correctement, Ionesco lui fait prononcer un éloge de la création poétique
(p. 121). Le plus gros danger des paroles
est en effet de « tomber dans les oreilles
des sourds qui sont les véritables gouffres,
les tombeaux des sonorités ». Voilà déjà
un bel exemple de cliché réactivé : le verbe
« tomber », qui n'était plus ressenti comme
imagé, à cause de la banalité de l'expression, reprend son sens propre, synonyme
de « chuter », avec l'association établie

entre les oreilles et des gouffres, des tombeaux. On rejoint une des hantises de Ionesco : s'engluer dans une vie de morne routine, être prisonnier de la boue du réel, bref, des instincts.

Les paroles doivent au contraire s'envoler, image habituelle chez l'auteur d'un état d'euphorie *(Le Piéton de l'air, Amédée ou comment s'en débarrasser)*. Dans *La Quête intermittente,* Ionesco analyse ainsi ses premières pièces : « J'arrivais, en somme, au débris du réel apparent, à la frontière de l'indicible... Mettre en question la réalité, c'est bien, c'est bien – à condition de pouvoir mettre les pieds dans la solidité d'un monde ultra-réel et non pas *surréel.* Le surréalisme casse les mots en les reconstituant ; non-sens extérieur, superficiel. Dada casse le langage davantage ; il est plus vrai, métaphysiquement (plus vrai ?), que le surréalisme qui sombre dans la littérature. Plus mystique qu'il ne le pensait : Tristan Tzara. Son œuvre, comme mes premières pièces, va au débris du sens » (p. 121).

Est en effet dadaïste l'idée que le langage doit, par-delà la logique, libérer l'énergie vitale du locuteur – d'où l'« orage symphonique » de la p. 123 – et, à partir de mots familiers ou inventés, atteindre l'essentiel : « Liberté : DADA DADA DADA hurlement des douleurs crispées, entrelacement des contraires et de toutes les contradictions, des grotesques, des inconséquences : LA VIE » (Tzara, *Manifeste Dada*). Dans *La Leçon,* le cri, les sons deviennent sujets actifs des verbes : « Si vous émettez plusieurs sons à une vitesse accélérée, ceux-ci s'agripperont les uns aux autres automatiquement, constituant ainsi des syllabes, des mots, à la rigueur des phrases, c'est-à-dire des groupements plus ou moins importants, des assemblages purement irrationnels de sons, dénués de tout sens, mais justement pour cela capables de se maintenir sans danger à une altitude élevée dans les airs » (p. 121-122). Le langage n'est plus qu'un cri, celui du désir. Il n'a plus qu'un objectif : faire souffrir l'élève pour affaiblir sa résistance et l'amener à se soumettre.

La machine langagière se retourne alors contre elle-même, broyant le sens des mots pour produire l'essentiel : le rythme hypnotisant du discours. La culture est, elle aussi, déversée, pêle-mêle, dans la chaudière infernale.

On peut analyser sous cet angle la tirade historico-géographico-linguistique des p. 118-119. Le point de départ consiste dans une inversion entre langue mère et langue dérivée. L'espagnol remplace donc le latin en langue mère ; il va dans cette logique spéciale être à la base des langues non plus néo-latines mais néo-espagnoles. On trouve alors, comme on s'y attendait : le latin, bien sûr, et les langues romanes : français, roumain, sarde – que l'inconscient modifie en Sardanapale –, portugais. Mais on a la surprise de voir revenir la langue prétendue mère : l'espagnol et ce à deux reprises, ainsi qu'un mystérieux avatar moderne de l'espagnol : le néo-espagnol. Le moins qu'on puisse dire est qu'on tourne en rond. Quant au turc, d'origine mongole et toungouze, il n'a rien à voir ni avec l'espagnol ou le latin ni avec le grec. Ainsi, « la loi linguistique... selon laquelle géographie et philologie sont sœurs jumelles » est une contre-vérité d'autant plus cocasse qu'historiquement les Grecs et les Turcs n'entretiennent pas des rapports très amicaux.

Face au groupe des langues néo-espagnoles qu'il vient d'établir, le professeur va dresser trois autres groupes linguistiques. Le premier concerne les idiomes germaniques, mais le mot juste n'est forcément pas employé, on a donc « langues autrichiennes », par contamination avec la seconde acception de l'adjectif germanique, qui est : de langue et civilisation allemande. Là, comme pour le latin, il y a inversion entre le modèle (l'Allemagne) et le dérivé (c'est l'Autriche qui aurait créé la civilisation germanique). Par conséquent, il existe d'autres langues « néo-autrichiennes », elles aussi, que Ionesco nomme « habsbourgiques » par un savoureux néologisme qui se réfère à la maison des Habsbourg. L'idée de ce langage dynastique est fort amusante car les Habsbourg ont certes régné en Autriche jusqu'en 1918 mais aussi en Espagne jusqu'en 1700 !

Le deuxième groupe est de loin le plus hétéroclite. Il fonctionne sur le principe énoncé pour les « langues autrichiennes » : celui de pays dont la caractéristique est précisément de ne pas avoir de langue propre. Le professeur fait donc le tour des pays périphériques de la France : Monaco, Andorre, la Suisse. Mais l'incohérence est aggravée par l'intrusion d'« helvétique », dont l'enseignant a l'air d'ignorer qu'il désigne ce qui est suisse. De plus, l'espéranto, langue artificielle à vocation internationale, ne peut être rattaché à aucun pays, comme le laisserait supposer l'énumération. Enfin, l'adjectif « basque », qui ne renvoie pas à une nation politiquement établie, correspond en revanche très bien à une langue, mais dont la caractéristique est qu'on en ignore l'origine. « Pelote », appelé par « basque », à cause d'une association automatique entre la région et le jeu qui lui est spécifique, achève la confusion.

Le professeur n'insiste pas sur le troisième groupe : celui « des langues diplomatique et technique ». La confusion porte ici sur le mot « langue » lui-même qui peut effectivement désigner des langages spécialisés, à l'intérieur d'un même idiome.

Toutes ces aberrations sont d'abord comiques. C'est un jeu pour le spectateur de démêler l'écheveau des incohérences et contradictions. De plus, le procédé met en valeur les trouvailles de l'auteur et garantit des surprises, ou mini-coups de théâtre dans un spectacle qui n'en ménage guère dans son action proprement dite.

Dans toute la pièce, le discours du professeur est en parallèle avec l'évolution de sa voix : de « maigre et fluette », elle devra devenir « extrêmement puissante, éclatante » (p. 90). De même, ses paroles hésitantes se raffermissent progressivement, puis prolifèrent monstrueusement – comme les objets dans certaines pièces de Ionesco : *Les Chaises*, *Le Locataire*. La logique n'existe plus, le langage sert à accentuer le pouvoir et révèle les désirs secrets. « La philologie mène au pire », dit la bonne (p. 117). D'abord, parce qu'à force d'habitude elle sait traduire le mot « philologie » en une étape non du cours mais de la pulsion sexuelle. Elle sait que l'annonce du programme prélude au flot verbal, ultime étape avant le meurtre. Mais Ionesco démontre aussi que « la philologie mène au pire », c'est-à-dire que, si l'on veut étudier soigneusement le langage des hommes, on explore alors leur inconscient pour arriver « à la révélation d'une vérité qui la plupart du temps est insoutenable » (*E.C.B.*, p.168). « Le théâtre, dit-il encore, c'est pour moi l'exposition de quelque chose d'assez rare, d'assez étrange, d'assez monstrueux. C'est quelque chose de terrible qui se révèle petit à petit » (*E.C.B.*, p. 166). *La Leçon* est l'impeccable démonstration de cette mission du théâtre et correspond à la vision du monde de Ionesco : « J'ai l'impression de me trouver devant des gens d'une politesse extrême, dans un monde plus ou moins confortable. Tout d'un coup, quelque chose se défait, se déchire et le caractère monstrueux des hommes apparaît » (*E.C.B.*, p. 167).

CONCLUSION

« *La Cantatrice chauve,* suivi de *La Leçon* »... : par-delà leurs différences, ces deux pièces sont liées dans l'esprit de beaucoup de spectateurs et de lecteurs. Pour des raisons « historiques », bien évidemment. Elles sont les deux premières œuvres dramatiques de Ionesco à avoir été représentées, *La Leçon* suit *La Cantatrice chauve* dans les éditions de son théâtre pour respecter l'ordre chronologique, et surtout elles sont associées dans leur glorieuse carrière au théâtre de la Huchette. Elles ont certes été souvent jouées séparément, elles ont pu être lues isolément (dans la collection « L'Avant-scène », par exemple), mais il reste que de nombreux amateurs du théâtre de Ionesco ne peuvent parler de l'une sans évoquer l'autre.

Mais ce lien n'est pas seulement conjoncturel. Ne pourrait-on imaginer Hélène Smith (p. 13) avec les traits de l'Élève de *La Leçon* ? ou le professeur racontant l'histoire de son camarade le vicomte (p. 124) dans le salon des Smith ? Bien sûr, *La Leçon* offre une intrigue nettement plus discernable que *La Cantatrice chauve,* et le critique Guy Verdot pouvait à bon droit s'exclamer : « *La Leçon,* c'est autre chose, c'est déjà du répertoire [1] ! », en distinguant cette pièce d'une *Cantatrice chauve* plus débridée. Certes, l'angoisse et le burlesque sont dosés de manière différente dans les deux œuvres : on emploie dans *La Cantatrice chauve* les mots « couteau de poche » (p. 71) et « tuer

1. Franc-Tireur, 20 fév. 1957.

149

un lapin » (p. 75), mais on ne tue finalement que le langage, semble-t-il, alors que dans *La Leçon* « le couteau tue » bel et bien l'Élève (p. 143)... Cependant les deux pièces relèvent d'une même conception du théâtre et du langage.

Par leurs refus d'abord : refus de l'esprit de sérieux comme du brio des mots d'auteur, des naïvetés pesantes du théâtre à thèse, des conventions du vraisemblable et du bon goût, des clivages qui font distinguer les pièces qui font rire de celles qui font pleurer, penser ou rêver.

Mais aussi pour des raisons positives : les personnages dérisoires des deux œuvres ont surtout en commun l'inaptitude à une communication authentique. Cette dernière est-elle seulement imaginable, au vu de ces pièces ? En 1950 le mathématicien anglais Turing publie *Can a Machine Think ?* et c'est bien la question qu'on peut se poser à propos de ces personnages prisonniers des ressorts du langage et/ou d'une obscure violence. Au moment où des plasticiens comme Tinguely créent des machines « inutiles », qui détournent les machines utilitaires de leur fonction productrice pour en faire des œuvres d'art ou des instruments ludiques, Ionesco détourne les mécanismes éprouvés du théâtre et pervertit la mécanique d'un langage auquel ses personnages semblent réduits.

Le succès extraordinaire de ces deux pièces tient peut-être alors à cette ambiguïté : comiques et parodiques, elles tournent en dérision les engrenages langagiers dont nous sommes esclaves. Nous rions des vains discours des personnages, comme de ceux de Homais, dans *Madame*

Gouache d'Eugène Ionesco. Coll. particulière. Ph. Éditions Gallimard.

Bovary. Mais, dans la mesure où ces fantoches de *La Cantatrice chauve* et de *La Leçon,* malgré le grossissement caricatural, nous ressemblent toujours, les deux pièces suscitent un malaise, voire une angoisse : sommes-nous si loin de ces marionnettes ?

La voie sur laquelle *La Cantatrice chauve* et *La Leçon* engagent leur auteur paraît étroite. Si on se réfère encore à Flaubert, une des premières admirations du jeune Ionesco, son *Dictionnaire des idées reçues,* dévoilant la bêtise universelle, devait conduire chacun au silence, même (surtout ?) l'auteur. Il est délicat pour un artiste de commencer son œuvre en soulignant l'inefficacité du matériau qu'il utilise. C'est pourtant ce que fait Ionesco : la faillite du langage se vérifie aussi bien dans *La Cantatrice chauve* que dans *La Leçon* : les personnages ne communiquent pas car ils n'ont rien à se dire, ils vivent un événement monstrueux qui se manifeste malgré le discours, justement dans son absence de sens.

Toutefois, du fait même qu'il écrit une œuvre théâtrale, Ionesco réhabilite la parole car, dit-il : « si je croyais vraiment à l'incommunication absolue je n'écrirais pas. Un auteur, par définition, est quelqu'un qui croit à l'expression » (*E.C.B.,* p 133). Donc, si Ionesco ne s'est pas tu après ses premières pièces, c'est qu'il y a en lui la nostalgie d'une parole authentique. Certes, il insiste sur l'échec de ses personnages, englués dans le marécage de la vie familiale comme Jacques dans *Jacques ou la Soumission,* ou incapables de transmettre le message qui leur tient à cœur, comme les Vieux dans *Les Chaises*. Du moins, Ionesco, en tant que dramaturge, réussit-il à communiquer ses angoisses à ses contemporains. Enfin, progressivement, l'auteur de *La Cantatrice chauve* se rapproche du camp des humanistes, plus confiants dans la nature humaine : le personnage de Bérenger, héros sympathique, s'efforçant à la sincérité et à la générosité, revient significativement dans les pièces majeures que sont *Tueur sans gages*, *Rhinocéros* et *Le roi se meurt*.

DOSSIER

I. CHRONOLOGIE

1909   26 novembre : naissance d'Eugène Ionesco à Slatina (Roumanie). Son père est un avocat roumain, sa mère française.

1911   Naissance de sa sœur. Installation de la famille à Paris.

1916   La mésentente de ses parents débouche sur une séparation. Son père retourne en Roumanie.

1917-1919   Pensionnaire chez des fermiers de La Chapelle-Anthenaise, en Mayenne ; il vit la période la plus heureuse de son enfance.

1922   Hébergé par ses grands-parents maternels à Paris, il fréquente l'école de la rue Dupleix et écrit sa première pièce : *Pro Patria*, glorifiant un soldat français.

1923   Retour en Roumanie, auprès de son père, à la garde duquel il a été confié. Études brillantes dans un lycée de Bucarest.

1929   Prépare une licence de français à l'université de Bucarest.

1934   Publication de *Non*, ouvrage de critique littéraire non conformiste, dans lequel il insère quelques pages de son journal.

1935-1938   Professeur de français dans un lycée de Bucarest. 1936 : mariage avec Rodica Burileano.

1938-1940   Séjour en France. Étudiant boursier, il prépare une thèse (inachevée) sur les « Thèmes du péché et de la mort dans la poésie française depuis Baudelaire ».

1940-1942   Années difficiles dans une Roumanie occupée par l'armée allemande.

1942-1943	Traducteur à Marseille.
1944	26 août : naissance de sa fille, Marie-France, à Paris. Il est employé chez Hachette, sa femme secrétaire.
1946	Son père, devenu militant du parti communiste, le déshérite.
1948-1949	Il écrit *La Cantatrice chauve*.
1950	11 mai : première représentation de *La Cantatrice chauve*.
1951	20 février : première représentation de *La Leçon*.
1952	*Les Chaises* [1] au théâtre Lancry. Mise en scène : Sylvain Dhomme. Ionesco, membre du collège de pataphysique. Reprise de *La Cantatrice chauve* et de *La Leçon*, pour la première fois jouées dans un même spectacle, du 7 octobre 1952 au 26 avril 1953, dans les mises en scène de la création, au théâtre de la Huchette, petit théâtre du Quartier latin qui ne compte que 86 places assises.
1953	Parution aux Éditions Arcanes du tome I de son théâtre. *Victimes du devoir* au théâtre du Quartier latin. Mise en scène : Jacques Mauclair.
1954	*Amédée ou comment s'en débarrasser* au théâtre de Babylone. Mise en scène : Jean-Marie Serreau. Reprise du tome I de son théâtre par Gallimard.
1955	*Jacques ou la Soumission* au théâtre de la Huchette. Mise en scène : Robert Postec. *Le Tableau* au théâtre de la Huchette. Mise en scène : Robert Postec.

(annotation manuscrite : « daughter » en regard de 1944)

1. Pour toutes les pièces, nous indiquons l'année de leur création en France, non celle de leur rédaction.

1956 *L'Impromptu de l'Alma ou le Caméléon du berger* au Studio des Champs-Élysées. Mise en scène : Maurice Jacquemont.

1957 *Le Nouveau Locataire* au Théâtre d'Aujourd'hui. Mise en scène : Robert Postec.
16 février : *La Cantatrice chauve* et *La Leçon* commencent une nouvelle et longue carrière à la Huchette, dans les mises en scène de Nicolas Bataille et Marcel Cuvelier.

1959 *Tueur sans gages* au théâtre Récamier. Mise en scène : José Quaglio.

1960 *Rhinocéros* au Théâtre de France. Mise en scène : Jean-Louis Barrault.

1962 *Notes et Contre-notes. Délire à deux* au Studio des Champs-Élysées. Mise en scène : Antoine Bourseiller.
Le roi se meurt au théâtre de l'Alliance française. Mise en scène : Jacques Mauclair.

1963 *Le Piéton de l'air* au Théâtre de France. Mise en scène : Jean-Louis Barrault.

1966 *La Soif et la Faim* à la Comédie-Française. Mise en scène : Jean-Marie Serreau. Vingt-quatre comédiens du théâtre de la Huchette s'associent pour se répartir les huit rôles de *La Cantatrice chauve* et de *La Leçon*.

1967 *Journal en miettes.*

1968 *Présent passé/Passé présent.*

1970 *Jeux de massacre* au théâtre Montparnasse. Mise en scène : Jorge Lavelli. Élection à l'Académie française.

1972 *Macbett* au théâtre de la Rive gauche. Mise en scène : Jacques Mauclair.

1974 27 février : le théâtre de la Huchette fête la six millième représentation consécutive de *La Cantatrice chauve* et de *La Leçon.*

1987 Fête de la dix millième représentation du spectacle Ionesco à la Huchette.

La Quête intermittente.

II. ÉCLAIRCISSEMENTS ET NOTES

1. LA CANTATRICE CHAUVE.

À sa première édition (*cf.* Bibliographie), la pièce était dédiée à R. Queneau. Interrogé par Henri Bordillon sur la disparition ultérieure de cette dédicace, Ionesco lui adressa le 23 février 1973 une lettre dont nous citons ce passage : ... c'est une omission. Ça ne peut évidemment pas être autre chose. Cet oubli est-il imputable à moi-même, au correcteur, à tous les deux ou au destin ? Hélas, je ne puis vous répondre. Je constate, avec amertume, que même les mémoires satrapiques ont des défaillances. (Extrait publié avec l'autorisation de l'auteur et du destinataire.)

SCÈNE I

Page 11 : Le petit texte d'exposition, Ionesco avait conseillé de le dire en entier dans l'obscurité avant le départ de la pièce et de le reprendre à la fin toujours dans l'obscurité, ce qui permettait de donner une impression de répétition à l'infini. (S. Benmussa, *Ionesco*, p. 86).

Dans *La Puce à l'oreille* (1907), Feydeau indique : Le salon des Chaudebise. Style anglais [...] le mobilier est en acajou et de style anglais [...] contre la banquette, une de ces grandes papeteries anglaises [...] gravures anglaises encadrées.

– **L'attitude initiale des Smith peut être rapprochée des leçons 69 et 83 d'*Assimil*** : M. Smith passe des soirées paisibles entre sa femme et ses enfants [...] chaque jour il apporte à la maison le journal du soir (*Assimil*, p. 214). Le reste du temps Mme Smith raccommodait les chaussettes de son

Garde frontière linguistique confisquant un stock de Méthode Assimil. Dessin chirographié d'Alechinsky. Extrait de *Le Dérisoire absolu* de Alechinsky et Pol Bury, Éd. Daily Bul, 1980. Ph. Éditions Gallimard. © A.D.A.G.P., 1991.

mari (*Assimil*, p. 260). Ionesco va pousser jusqu'à l'absurde cette représentation stéréotypée d'une soirée chez des petits-bourgeois.

– La pendule. S. Benmussa rapporte ces remarques de Nicolas Bataille : La pendule. Autre personnage important. Elle est la dérision même, le refus de l'habitude. Elle contredit. On la nie : « Nous n'avons pas l'heure chez nous », dit Mme Smith, et la pendule, furieuse, frappe trois coups. Alors que quelques instants auparavant, elle avait sonné quatre coups et on sait très bien qu'il est neuf houroo. (*Ionesco*, p. 76). La pendule de *La Cantatrice chauve* fait penser à l'horloge de la pièce dadaïste de Georges Ribemont-Dessaignes *L'Empereur de Chine* (première représentation en 1925) :

Quand le moment est venu, elle va suivant son gré

Et joue du temps comme un accordéon...

Voir aussi le décor de *La Parodie*, d'Adamov (1952) : Une horloge municipale faiblement éclairée et dont le cadran ne porte pas d'aiguilles.

On retrouvera une pendule inquiétante chez Ionesco dans *Le Nouveau Locataire*, pièce écrite en 1953.

– Des pommes de terre au lard. Dans *Jacques ou la Soumission*, Jacques doit dire qu'il aime les pommes de terre au lard, symbole de l'intégration sociale. Mme Smith va décrire le repas familial (p. 11/14) : insistance sur l'organique (Nous avons bien mangé [...] je m'en suis léché les babines [...] ça me fait aller aux cabinets [...] s'en mettre plein la lampe).

Page 13 : Anis étoilé. Graine aromatique qui sert à fabriquer l'anisette. Ajouter de l'anis étoilé dans une soupe aux poireaux et aux oignons paraît une aberration culinaire. Connotation : étrangeté de la cuisine anglaise des Smith.

– Popesco Rosenfeld. Dans la première édition de la pièce, Popesco Rosenfeld et son yaourt étaient, comme ici, roumains. Dans l'édition Gallimard de 1954, l'épicier devient Popochef Rosenfeld, bulgare comme son yaourt. Hésitation entre le clin d'œil au pays natal et le jeu sur une idée reçue, la supériorité bulgare dans le domaine du yaourt ? De toute façon, les villes citées sont turques (mais Andrinople fut bulgare) : ce yaourt est décidément cosmopolite.

Page 14 : M. Smith [...] fait claquer sa langue. C'est le huitième claquement de langue... Création d'un rythme, contrepoint grotesque au débit monotone de Mme Smith. La communication se réduit à la fonction de contact. Autres interprétations : agacement ? ou au contraire encouragement pour Mme Smith (comme pour les chevaux...) ? Au total, le langage est réduit à un bruit.

– Mackenzie-King. Le docteur cher à Mme Smith a emprunté son nom à William Lyon Mackenzie-King, homme d'État canadien, qui fut Premier ministre de 1921 à 1930 et de 1935 à 1948 (date proche de la rédaction de la pièce) et mourut en 1950.

Page 16 : Bobby Watson est mort. Un docteur Watson existe dans *Assimil*, mais il en est un plus célèbre ; le docteur Watson de Conan Doyle, ami fidèle de Sherlock Holmes. Quand on parle des Watson (Bobby, comme un policeman ?), Mary Sherlock Holmes n'est pas loin...

Pages 16 à 20 : Les Bobby Watson.
« La Famille Dubois », monologue de Charles Cros publié en 1877, est fondé sur le principe que Ionesco appliquera avec les Bobby Watson.
Dans le texte de Cros, le narrateur, après avoir

suivi une avenue où tous les commerçants s'appellent Dubois, rencontre un ami qui vient d'accompagner un certain grand-père Dubois à la gare. L'ami raconte l'histoire de la famille Dubois. Cet extrait donnera un aperçu du mécanisme de la multiplication des Dubois dans le récit :

« Il s'était marié en 1814 ou en 1815. [...] Et, chose singulière, cette demoiselle qu'il épousa, et qui fut sa fidèle compagne jusqu'à l'année dernière, s'appelait Mlle... devine ? »

Je restai muet et comme dans l'angoisse.

« Elle s'appelait Mlle Dubois ! mais elle n'était parente d'aucun côté avec lui. Les Dubois dont je te parle sont des environs de Dijon, et cette demoiselle Dubois (la femme de celui que nous venons d'accompagner à la gare) était d'une famille de petits propriétaires dans le Rouergue. C'était un ménage très uni. Dans un temps je sais bien qu'on a jasé sur Mme Dubois ; mais on a su depuis que c'était un cousin du Rouergue, vexé de n'avoir pas pu épouser sa cousine, qui avait fait courir de faux bruits. Ils ont eu un fils qui est mort, au sortir du collège, où il avait fait d'assez bonnes études ; au moment où il commençait son droit sans trop d'idée de le continuer. Il se destinait à l'enregistrement. Car il est mort d'un chaud et froid ; tiens, je me rappelle encore le jour où nous l'avons enterré. C'était en 32 ou en 33, un jour vilain comme aujourd'hui. Cette perte a toujours affecté le vieux grand-père Dubois. Il y a huit jours il m'en parlait encore. Il aime pourtant beaucoup sa fille, Mme Dubois, la mère, chez qui nous irons faire une partie de dames, un de ces soirs, si tu veux.

– Comment, Mme Dubois ?

– Mais oui ! Mme Dubois la mère qui était auparavant Mlle Dubois, la mère des autres Dubois (mais la fille de celui que nous venons d'accompagner à la gare) ; et qui a épousé un nommé Dubois, qui n'était son parent d'aucune façon, puisqu'il était originaire du Gâtinais » (C. Cross, « La Famille Dubois », *O.C.,* Pléiade, p. 264-265).

À la fin, la prolifération des Dubois débouche sur une double découverte : l'ami rencontré s'appelle Dubois... comme le narrateur.

De manière générale, Ionesco montre une prédilection certaine pour l'attribution du même nom à plusieurs personnages, voire une foule d'êtres ou de choses ramenés à l'insignifiance. Lorsque l'auteur donne le nom de Béranger au personnage central de *Tueur sans gages, Rhinocéros* et *Le roi se meurt*, l'intention est autre : le personnage incarne des avatars du même être dans des pièces différentes. Mais la numérotation des Roberte et des Bartholomeus dans *Jacques ou la Soumission* et *L'Impromptu de l'Alma* leur enlève toute consistance.

Dans *Amédée ou comment s'en débarrasser*, Amédée affirme : Je ne suis pas le seul Amédée Buccinioni de Paris, monsieur. Un tiers des Parisiens portent ce nom (*Th.I*, p. 239). Dans *Le roi se meurt*, Béranger s'écrie : Qu'on donne mon nom à tous les avions, à tous les vaisseaux, aux voitures à bras et à vapeur [...] un seul nom de baptême, un seul nom de famille pour tout le monde (*Th. IV,* p. 40).

Dans le *Premier Conte pour enfants de moins de trois ans*, enfants et adultes des deux sexes, objets même, se nomment tous Jacqueline :

Jacqueline était une petite fille, elle avait une maman qui s'appelait Madame Jacqueline. Le papa de la petite Jacqueline s'appelait Monsieur Jacqueline. La petite Jacqueline avait deux sœurs qui s'appelaient toutes les deux Jacqueline et deux cousins qui s'appelaient Jacqueline, et deux cousines qui s'appelaient Jacqueline et une tante et un oncle qui s'appelaient Jacqueline. L'oncle et la tante qui s'appelaient Jacqueline avaient des amis qui s'appelaient Monsieur et Madame Jacqueline et qui avaient une petite fille qui s'appelait Jacqueline et un petit garçon qui s'appelait Jacqueline et la petite fille avait des poupées, trois poupées qui s'appelaient Jacqueline, Jacqueline et Jacqueline. Le petit garçon avait un petit camarade qui s'appelait Jacqueline, et des chevaux de bois qui s'appelaient Jacqueline et des soldats de plomb qui s'appelaient Jacqueline... (*P.P.*, p. 47-48).

À rapprocher des personnages de *Jacques ou la Soumission* : Jacques-Jacqueline, sa sœur – Jacques, père – Jacques, mère – Jacques, grand-père – Jacques, grand-mère – Roberte I – Roberte II – Robert, père – Robert, mère. Le même nom fabriqué en série est distribué mécaniquement à tout un chacun, le nom rend anonyme. D'autant que, Smith, Martin, Watson, Parker sont des patronymes très courants en Angleterre. Constante de l'imaginaire de l'auteur, la prolifération se manifeste ici avec un sens particulier : le monde est à la lettre innommable ; un seul nom pour tous et pour tout et le langage et le monde coïncideront enfin dans leur radicale pauvreté.

Pages 17 à 20 : Est-ce qu'elle est belle ? [...] on y fait de bonnes affaires.

On trouve dans ces pages des collages de phrases plus ou moins modifiées extraites d'un dialogue entre M. et Mme Smith dans les leçons 87 et 88 de la *Méthode Assimil.*

Dans la leçon 87, on apprend que Dolly, sœur de M. Smith, est une jeune veuve charmante. On citera pour l'essentiel : c'est triste de devenir veuve à son âge [...] c'est une bonne chose qu'il n'y a pas d'enfant *(sic)*. Elle se remariera sûrement, elle est si attrayante. Son deuil lui va très bien d'ailleurs **(p. 274).**

Dans la leçon 88, autre révélation : le beau-frère de Dolly, commis voyageur méritant, est fiancé à une maîtresse de musique. On relèvera à nouveau quelques phrases suivant l'ordre de la leçon : Il est voyageur de commerce, n'est-ce pas ? [...] il y a tellement de concurrence dans cette branche-là. Je crois qu'il fait de bonnes affaires [...] Ils espèrent se marier prochainement. **(Mme Smith :)** Est-elle jolie ? **(p. 276).** **(M. Smith :)** Je ne l'appellerai pas jolie, bien qu'elle ait des traits réguliers ; elle est grande, et a l'air très robuste [...] Que devrions-nous leur donner comme cadeau ? Pourquoi pas un de ces sept plateaux d'argent que nous avons reçus de divers parents à notre mariage et qui ne nous sont pas du moindre usage ? **(p. 278).**

L'auteur ne se contente pas d'épingler à son texte n'importe quelle banalité empruntée à *Assimil.* Les collages de la leçon 87 par exemple font ressortir, dans le contexte de la pièce, le comique noir involontaire de propos d'une sentimentalité funèbre. Bien plus, le côté passablement confus de la description de la fiancée dans la leçon 88 est poussé jusqu'à l'absurde dans son adaptation (*C.C.,* p. 17) : la confusion se transforme en contradiction totale. Enfin Ionesco remodèle la thématique des deux leçons. Dans *Assimil,* Dolly va peut-être se remarier et d'autre part son beau-frère le commis voyageur va se marier avec une demoiselle à la beauté difficilement discernable. Les deux faits sont indépendants. Dans la pièce, B. Watson, la veuve, concentre les traits distinctifs de Dolly et de la fiancée musicienne. Du même coup, le mort de la leçon 87 et le futur mari de la leçon 88 se rejoignent dans la seule personne de B. Watson, le mort. De l'art de faire de l'insolite avec du banal...

Pages 20-21 : Fin de scène directement inspirée d'*Assimil.* Dans la leçon 90, Mme Smith reproche aux hommes de toujours être en train de boire quelque chose ou de sucer une pipe, **à quoi M. Smith rétorque :** Que dirais-tu si je me rougissais

les lèvres et me poudrais le nez vingt fois par jour ?
**Puis les époux se réconcilient. Ionesco fait basculer
son modèle dans l'absurde en réunissant pêle-mêle
dans la bouche de chaque personnage les accusa-
tions qui visent les hommes et les femmes. En outre,
dans** *Assimil*, **M. Smith s'écrie :** Now duckie ! What
a little spitfire ! **traduit par :** Voyons poulette ! Quelle
petite rageuse ! **Ionesco traduit littéralement** spitfire
(qui crache le feu) **et la poulette devient** poulet rôti.
**La dispute entre époux est un thème récurrent de
son théâtre. La pièce** *Délire à deux* **(1962) n'est
même constituée que d'une énorme scène
de ménage.**

SCÈNE II

Dans *Assimil*, **la leçon 89 montre le retour de
la bonne des Smith après une sortie en ville. Plus
que le texte, c'est le dessin l'accompagnant qui
semble avoir stimulé Ionesco.**

SCÈNE IV

**Parodie de scène de reconnaissance, comme la
scène IX, mais les données et le rythme diffèrent
totalement. Dans le mélodrame la reconnaissance
est possible grâce à un objet** (la croix de ma mère)
ou à une intuition irrésistible (la voix du sang ou
de l'Amour). **L'œil rouge d'Alice est une caricature
de la première possibilité, la seconde est parodiée
par une inversion pure et simple ; à la longue
mémoire de l'amour se substitue une amnésie
fulgurante.**
Ionesco a révélé la source de cette scène :
Le dialogue des Martin était tout simplement un
jeu. Je l'avais inventé avec ma femme un jour dans
le métro. Nous étions séparés par la foule. Elle
était montée par une porte et moi par une autre
et au bout de deux ou trois stations, les passagers

Six dessins extraits de la Méthode Assimil. Reproduits avec l'aimable autorisation d'Assimil.

commençant à descendre et le wagon à se vider, ma femme, qui a beaucoup d'humour, est venue vers moi et m'a dit : Monsieur il me semble que je vous ai rencontré quelque part ! J'ai accepté le jeu et nous avons ainsi presque inventé la scène. [...]

Maintenant vouloir donner à cela un contenu psychologique, vouloir l'interpréter comme l'illustration d'un couple qui ne se reconnaît plus, d'êtres qui ne sont plus que des étrangers, en faire le drame de la solitude à deux... cela me semble aller un peu trop loin (**cité par S. Benmussa,** *Ionesco*, © **Seghers, 1966, p. 76**).

Page 24 : Le jeu sur curieux, bizarre, coïncidence **peut être rapproché du fameux dialogue entre Molyneux et l'évêque de Bedford, dans le film de Carné et Prévert** *Drôle de drame* **(1937) :**

L'évêque : Moi, j'ai dit : « Bizarre, bizarre » ? Comme c'est étrange ! Pourquoi aurais-je dit : « Bizarre, bizarre » ?

Molyneux : Je vous assure, cher cousin, que vous avez dit : « Bizarre, bizarre ! »

L'Évêque : Moi, j'ai dit « bizarre » ? comme c'est bizarre !

Deux contes d'Alphonse Allais ont des analogies avec la scène IV. Dans « Un drame bien parisien » (*A se tordre*, **1891), deux époux se rendent séparément à un bal masqué, se démasquent et ne se reconnaissent pas ! Dans « La Belle Inconnue »** (*Le Bec en l'air*, **1897), un homme suit une jeune femme croisée dans la rue, et ils ne se reconnaissent comme mari et femme qu'une fois parvenus à leur domicile !**

SCÈNE V

Pages 31-32 : Sherlock Holmes **est le héros de plus de cinquante nouvelles et de quatre romans**

que Conan Doyle fit publier de 1887 à 1927. Holmes, enquêteur génial, est surtout remarquable par ses capacités d'observation et de déduction. Comme lui Mary part d'une observation (l'œil blanc à droite, etc.) pour en déduire l'erreur de Donald. Mais alors que Holmes donne la bonne solution après avoir balayé les interprétations erronées, Mary laisse le problème en suspens. Autre aspect parodique : S. Holmes ne dédaigne pas de se déguiser en valet pour mener ses enquêtes, comme dans « Un scandale en Bohême » ou dans « Le Diadème de Béryls ». Cette scène est marquée par le premier avatar de Mary. Dans la scène IX, elle se métamorphosera en amoureuse qui brave les conventions sociales. C'est un personnage à transformations, même « fantastique » selon N. Bataille.

SCÈNE VII

Page 33 : Mme et M. Smith entrent à droite, sans aucun changement dans leurs vêtements. *Cf.* Nous allons vite nous habiller **(p. 22)** et revêtir nos habits de gala **(p. 33)**. **Même procédé dans** *L'Impromptu de l'Alma*. **Les trois Bartholomeus reprochent à Ionesco de ne pas être** vêtu comme un auteur de notre temps **et décident de remédier à cette lacune. Deux d'entre eux** enlèvent le veston de Ionesco, ahuri, ses souliers, sa cravate, puis les lui remettront exactement comme avant **(*Th. II*, p. 97).**

Page 37 : Des légumes qui sont de plus en plus chers. **Dans** *La Jeune Fille à marier* **(1953) :**
     La dame : La vie est de plus en plus chère !
     Le monsieur : Où allons-nous ?
Dans *Mathusalem* **(1927) d'Yvan Goll, qui préfigure le théâtre de dérision des années cinquante, des personnages s'écrient :** La vie est chère ! [...] chère est la vie ! [...] La vie est plus que chère !

Pages 39 à 43 : La sonnette. **Après la pendule, un autre objet taquin, qui vient, comme la bonne, de l'arsenal du vaudeville et du théâtre de boulevard. Elle y annonce un galant ou un gêneur, et peut parfois se faire inquiétante :**

On sonne. Les personnages sont inquiets : personne ne bouge pour aller ouvrir.

Lucienne : Ah ! ça ! On n'ouvre donc pas ?

Raymonde : Je ne sais pas. Pourtant, si on a sonné...

Tournel : C'est que c'est quelqu'un.

Raymonde (s'inclinant devant cette vérité de La Palice) : Évidemment **(Feydeau,** *La Puce à l'oreille,* **acte III, scène 3).**

La fameuse sonnette de *La Cantatrice chauve* [...] à défaut de signifier une présence humaine derrière la porte – on sait que cela reste problématique – affirme au moins l'existence d'un au-dehors **(Michel Pruner, Colloque de Cerisy, p. 223).**

SCÈNE VIII

Le Pompier. **On peut le rapprocher des généraux qui promènent leurs uniformes dans de nombreux vaudevilles. (Voir aussi le personnage du général de Lonségur dans** *Victor ou les Enfants au pouvoir,* **de Vitrac.) Pour sa part, P. Vernois le rattache au folklore roumain. On pourrait y voir surtout une figure proche de Guignol, et un écho de l'enfance. Ionesco se souvient d'un incendie vu dans un film, à l'âge de trois ans, et du** camion rouge, **avec des pompiers** portant des casques brillants **dont il ne sait s'il figurait dans le film ou passait dans la rue à la sortie du cinéma (***P.P.,* **p. 19-20). Les pompiers sont aussi mentionnés dans** *Rhinocéros*.

Dans *La Cagnotte*, **de Labiche, un des personnages est commandant de pompiers et regrette l'absence d'incendie.**

Pour N. Bataille le pompier est l'élément extérieur qui fait irruption dans un milieu clos. Seule l'extinction des incendies lui importe : C'est l'homme sans problèmes.

Page 53 : *Le Vicaire de Wakefield* est le titre d'un roman anglais, de Goldsmith (1728-1774), où l'on voit le pasteur Primrose, après bien des malheurs, jouir en famille d'un bonheur mérité.

Pages 58-59 : Le Bouquet. Dans *Scène à quatre*, Martin, qui était allé prendre un pot de fleurs, dit à la Dame : Acceptez ce bouquet, Dupont et Durand en font autant, elle a les bras chargés de pots de fleurs : autre variation parodique sur le thème de l'hommage amoureux. Un bouquet est aussi un petit poème galant. Après les fables dramatiques, c'est le moment du sentimentalisme petit-bourgeois.

Page 62 : Comme aux cartes. Le chemin de fer est effectivement un jeu de cartes, qui s'apparente au baccara.

SCÈNE IX

Déjà présent dans les p. 50 à 53, le thème du feu prend ici une valeur particulière. Archétype de l'Amour, il permet au Pompier d'user d'une métaphore galante banale mais à laquelle sa profession donne une saveur inédite (c'est elle qui a éteint mes premiers feux, p. 66). Avec le poème dit par Mary (p. 68-69), le feu devient moins le symbole des ravages d'Éros (ce qui impliquerait une certaine authenticité du personnage) que l'expression d'un vertige de destruction. On retrouve dans le poème la forme circulaire qui caractérise la pièce, et Le Verbe qui s'accélère jusqu'à l'explosion finale. Le thème du feu est une constante de l'imaginaire de l'auteur. Dans *Jacques ou la*

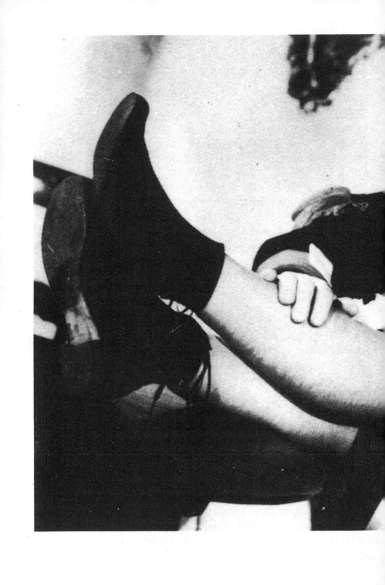

La Cantatrice chauve en Angleterre, Londres, 1956. Ph. Maywald. D.R.

Soumission, par exemple, la description par Roberte II d'un cheval en flamme – on voit le feu briller à l'intérieur (*Th. I*, p. 127) – suscite l'enthousiasme de Jacques. L'association du thème du feu et de celui de l'eau n'est pas rare. Roberte II enchaînera bien vite : J'ai de l'eau dans mes crevasses. Dans *Le roi se meurt*, Marguerite mentionne des piscines incendiées (*Th. IV*, p. 15).

La réplique de la Bonne (je suis son petit jet d'eau, p. 66) ne pousse pas l'association feu/eau aussi loin, car elle ressortit plutôt au burlesque à connotation libertine. Mais dans le poème, l'eau prend feu (p. 69).

Page 68 : Polycandres. Mot créé par Ionesco. Le préfixe *poly* exprime la multiplicité. En latin *candere* signifie « brûler, être embrasé ».

SCÈNE X

Page 70 : Elle se coiffe toujours de la même façon ! Dans *Le Coup de Trafalgar* (1934), de Roger Vitrac, Flore Médard, qui vient de se marier, se rase la moitié de la tête. Acte inexplicable qui crée gêne et stupeur autour d'elle, et qui devient un sujet tabou. Un autre personnage se nomme Jeanne Peigne...

SCÈNE XI

Sur l'ensemble de la scène : l'hétérogénéité des répliques n'est pas absolue, car sur le plan formel un grand nombre présentent des points communs.

Tout d'abord, surtout avant la cassure de À bas le cirage ! (p. 74), leur structure est fréquemment binaire. Environ la moitié des phrases de cette première partie de la scène sont constituées de deux groupes qui s'opposent, mais (cinq fois) ou un subordonnant étant le pivot de l'opposition (ex. :

J'aime mieux un oiseau... *que*, **p. 73**). **L'opposition peut être aussi lexicale (ex. :** plafond/plancher, **p. 72) ou sonore (ex. :** bœuf/œuf, **p. 71).**

En outre, de nombreuses répliques prennent, par leur aspect catégorique, des allures de sentences (ex. : Dans la vie..., **p. 71**), certaines se présentent comme des proverbes, cités (ex. : Charity begins at home, **p. 74**) ou parodiés (ex. : Celui qui vend aujourd'hui un bœuf..., **p. 71** pour « **Qui vole un œuf, vole un bœuf** »).

Enfin on trouve, jusqu'à la p. 74, des répliques démarquées d'*Assimil* :

a) **des collages, comme** Vous n'êtes pas assez vieux pour cela (**p. 72** – *Assimil,* **leçon 25**) ou Je ne sais pas assez d'espagnol pour me faire comprendre (**p. 73** – *Assimil,* **leçon 94**). **Les trois répliques en anglais sont des citations d'*Assimil* : parodie des effets naïfs de couleur locale (*cf.* How do you do, *C.C.*, **p. 43**). Ainsi les Britanniques Black et Mortimer, héros de la B.D. créée par E. P. Jacobs, parsèment leur discours (français) de** Well ! **et de** By Jove !.

b) **des phrases légèrement différentes de celles d'*Assimil*. Certaines sont de meilleures traductions :** La maison d'un Anglais est son vrai palais (**p. 73**) **traduit** An Englishman's home is his castle **plus élégamment que** Le chez-soi d'un Anglais est son château (*Assimil,* **leçon 68**). **D'autres introduisent l'insolite :** Pierre a raison : vous n'êtes pas aussi tranquille que lui (*Assimil,* **leçon 25**) **devient** Benjamin Franklin avait raison... (**p. 72**).

De la p. 75 à la p. 77, le lien formel sera assuré par les allitérations en *k*. **Toute signification n'est pas encore chassée du dialogue : le cacatoès est un perroquet :** cacade (**mot vieilli = brusque évacuation intestinale) et** cascade **impliquent un écoulement. Or le psittacisme et la logorrhée caractérisent toute la scène. Les séries de mots en** *k* **sont entrecoupées de phrases qui appartiennent**

par leur registre au premier mouvement de la scène, comme si un état encore relativement élaboré du langage résistait à la débâcle (ex. : J'aime mieux pondre un œuf..., **p. 76**). Celle-ci est complète avec la série les cacaoyers des cacaoyères, **qui fait penser à certains exercices de diction proposés aux apprentis comédiens. Puis les mots comportant le son** *ou* **saturent le dialogue jusqu'au milieu de la p. 78. Ensuite l'essentiel réside dans le démembrement des mots jusqu'à la transformation des personnages en hommes-machines (de** Teuff, teuff **à la fin).**

Page 73 : Un prêtre monophysite. **Les monophysites, hérétiques du Vᵉ siècle, n'admettaient qu'une seule nature (divine ou humaine) dans la personne du Christ.**

Page 74 : Le fromage c'est pour griffer.

On sait que vers cinq à six ans encore les enfants définissent les concepts en commençant par les mots « c'est pour » : une table « c'est pour écrire dessus », etc. **(Jean Piaget,** *Six Études de psychologie,* **éd. Gonthier, Médiations, p. 19).**

– Charity begins at home = **charité bien ordonnée commence par soi-même** (*Assimil,* leçon 48).

Page 76 : Coccus. **Insecte vivant sur une cactée. Jeu sur la paronymie.**
– Cocardard. **Néologisme formé sur cocarde, comme cocardier.**
– Encaqueur. **Celui qui encaque les harengs. Encaquer : mettre le poisson en caque (= barrique où l'on entasse le poisson salé).**

Page 77 : Escarmoucheur. **Terme vieilli : celui qui fait des escarmouches.**
– Scaramouche. **Même étymologie que le précédent**

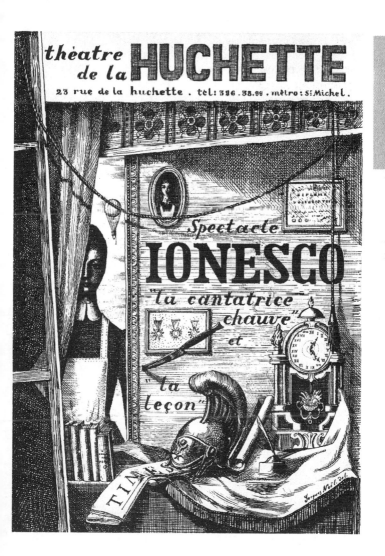

Programme du spectacle au Théâtre de la Huchette, 1951. Dessin de Jacques Noël.

(italien : *scaramuccia*). Acteur de l'ancienne comédie italienne (1608-1694). Son nom a défini un emploi, qui tenait du Capitan et de l'Arlequin.

Page 78 : N'y touchez pas, elle est brisée. **Citation burlesque d'un poème naguère célèbre de Sully Prudhomme : « Le Vase brisé » (1869). De là les répliques suivantes. Composé de cinq quatrains, le poème commence par ces vers :**

> Le vase où meurt cette verveine
> D'un coup d'éventail fut fêlé.

Le vers cité se trouve dans le troisième quatrain :

> Son eau fraîche a fui goutte à goutte,
> Le suc des fleurs s'est épuisé ;
> Personne encore ne s'en doute
> N'y touchez pas, il est brisé.

Le cœur meurtri étant comparé au vase fêlé, le dernier vers du poème reprend :

> Il est brisé, n'y touchez pas.

Sully Prudhomme (1839-1908) et François Coppée (1842-1908) eurent leur heure de gloire, mais n'ont plus qu'un intérêt historique, leur incompréhension de la nature de la poésie paraissant aujourd'hui flagrante. En les transformant en Coppée Sully et Prudhomme François, Ionesco les met dans le même sac...

Page 79 : Krishnamourti. **Brahmane de l'Inde du Sud, né en 1897 ; fit ses études en Angleterre, où des théosophes virent en lui un précurseur de Maitreya, Bouddha futur.**

– Bazaine. Maréchal de France. En 1870, assiégé dans Metz par les Prussiens, il capitula sans résistance. Son nom devint symbole de lâcheté et de déshonneur. À l'école communale, Ionesco apprit cette valeur symbolique, les défaites françaises pouvaient s'expliquer : C'était [...] parce qu'il y avait eu Bazaine (*E.C.B.,* p. 64).

Dans *Victor ou les Enfants au Pouvoir* (1928), **de Vitrac, Antoine Magneau fait du nom de Bazaine le symbole de la trahison conjugale.**

– Teuff, teuff, etc. Sur la table à couvert, **Jacques-fils rythme la production de** Teuf, teuf... : il souffle bruyamment comme une machine à vapeur (*L'avenir est dans les œufs,* 1951, *Th. I*, p. 153). **Voir aussi la demoiselle-automobile dans** *Le Salon de l'automobile* (1952, *Th. IV*).

2 LA LEÇON

Page 93 : Automobile. **Ce qui peut paraître pure association automatique entre deux mots qui se suivent dans le dictionnaire (procédé poétique signalé dans** *Non*) **peut aussi s'interpréter comme révélation inconsciente du désir . dans** *Le Salon de l'automobile*, **sketch radiophonique de Ionesco, comme dans le conte de Buzzati publié dans** *Le K* (« Suicide au parc »), **la voiture devient une représentation allégorique de la femme.**

Page 94 : Mes parents désirent que j'approfondisse mes connaissances. **Dans** *La Jeune Fille à marier* (1953), **Ionesco fait discuter à bâtons rompus une « dame » et un « monsieur ». Parlant de sa fille, la femme annonce fièrement :** Elle a poussé très loin ses études. J'ai toujours rêvé d'en faire une dactylo. **On a donc le même procédé comique, basé sur un décalage entre les études** très **supérieures et le niveau réel, fort modeste, de l'enfant.**

– J'ai mon bachot sciences et mon bachot lettres. **L'hésitation de l'élève sur les saisons et les chefs-lieux fait penser à l'instruction primaire et non au diplôme du secondaire. Pour Ionesco, qui peut** le plus ne peut pas nécessairement le moins. Ce principe se retrouve dans la pièce *La Lacune* (représentée pour la première fois en 1965). On y voit un académicien, bardé de diplômes de l'enseignement supérieur, se présenter au baccalauréat et s'y faire recaler avec des notes infamantes. Ici la double bachelière sera incapable de faire des opérations à la portée d'un enfant de six ans.

Page 96 : Je suis à votre disposition. **Dans un contexte clairement amoureux, Marcel Pagnol fait prononcer cette même phrase par Topaze (la pièce fut jouée en 1928 pour la première fois) à la scène 11 de l'acte I. L'enseignant, épris d'Ernestine, la fille du directeur, espère la conquérir en jouant le rôle d'humble chevalier servant :** Je tiens à vous dire que je suis à votre entière disposition. **Déjà, à la scène 2 du même acte, ils ont échangé ce dialogue :** *Topaze* : Tout à votre service, mademoiselle... *Ernestine* : Tout à mon service ? C'est une phrase toute faite mais vous la dites bien ! *Topaze* : Je la dis de mon mieux et très sincèrement. **Ce jeu de mots, banal en soi, pose déjà le problème du langage : faut-il prendre les expressions au pied de la lettre ?**

– Votre perception de la pluralité. **Ce mot de pluralité a une connotation savante qui contraste d'une façon savoureuse avec la simplicité des questions abordées jusqu'à présent. Son sens est équivoque : la pluralité désigne d'abord le fait de n'être pas unique, ce que l'élève n'a pas encore perçu. Mais on comprend qu'au quarantième cours de la journée le professeur en ait une meilleure appréhension ! Sur le plan philosophique, cette idée est essentielle chez Ionesco qui a déjà montré dans** *La Cantatrice chauve* **que les individus sont interchangeables. Dans le contexte d'érotisme où elle s'insère, on peut aussi y voir une allusion** discrète aux connaissances de la jeune fille sur la sexualité ; en tout cas, son ignorance réjouit fort le maître. Du strict point de vue pédagogique, cette question manque de clarté : elle peut annoncer un cours soit sur la grammaire (les marques du pluriel), soit sur les chiffres (dans une acception vieillie, « pluralité » signifie : le plus grand nombre, la majorité).

Page 97 : C'est une science assez nouvelle [...] C'est aussi une thérapeutique. **S'il n'avait pas été question d'arithmétique dans la réplique précédente, c'est à la psychanalyse que cette affirmation correspondrait le mieux. Or Ionesco ne lui accorde pas une grande estime. Il la tournera en dérision dans** Victimes du devoir**, représenté pour la première fois en février 1953.**

Page 102 : Sur les difficultés de la soustraction, se référer au premier acte de *Rhinocéros*. **Le Vieux Monsieur ne réussit pas non plus à répondre à la question du logicien :** On enlève 6 pattes aux 2 chats, combien de pattes restera-t-il à chaque chat ? **Car il confond le total à soustraire avec le total restant et déduit donc :** Une première possibilité : un chat peut avoir 4 pattes, l'autre 2... Il peut y avoir un chat à 5 pattes... Et un autre chat à 1 patte... **Le plus réjouissant est que ces solutions aberrantes reçoivent l'approbation du logicien.**
Excellent mathématicien, Lewis Carroll (1832-1898) avait tiré de la soustraction de poétiques fantaisies. Dans *De l'autre côté du miroir*, Humpty Dumpty n'est pas très convaincu que 365 − 1 fasse 364. Sceptique, il demande à Alice : J'aimerais voir ça écrit noir sur blanc. **Et lorsque la fillette lui présente l'opération sur son carnet, Humpty Dumpty prit en main le calepin et le regarda très attentivement.** Cela, commença-t-il de dire, me

paraît être exact... encore que je n'aie pas présentement le temps de vérifier de fond en comble. **Dans la même œuvre, la Reine Blanche interroge Alice :** Savez-vous faire une soustraction ? De huit, retirez neuf. Que reste-t-il ? – Neuf de huit, cela ne se peut..., répondit Alice. – Elle ne sait pas faire une soustraction, déclara la Reine Blanche. **Plus ludique encore est cette devinette posée par la même reine :** Prenez un chien, ôtez-lui un os. Que reste-t-il ? **Concrète, Alice pense que le chien *ne restera pas*, mais la Reine Blanche lui explique qu'*il restera* la patience du chien (car il perdra patience, il s'en ira, la patience restera donc).**

Dans un autre ordre d'idée, Orwell imagine dans *1984*, publié en 1950, que lorsqu'un pouvoir dictatorial veut faire plier un révolté il le force à nier les évidences mathématiques. O'Brien, responsable du Parti montre 4 doigts à Winston et le torture pour lui faire admettre qu'il y en a 5 : Comment puis-je m'empêcher de voir ce qui est devant mes yeux ? Deux et deux font quatre. – Parfois, Winston. Parfois ils font cinq. Parfois ils font trois. Parfois ils font tout à la fois... il n'est pas facile de devenir sensé (« Folio », p. 354).

Dans *La Leçon* le cours de mathématique montre un professeur encore à peu près cohérent, presque logique. Ce n'est que dans le cours de philologie qu'il ressemblera au héros pervers d'Orwell.

Page 104 : Il y a des tas de choses telles que les prunes, les wagons, les oies, les pépins. Ce glissement absurde de l'abstrait au concret a d'abord un effet comique. On peut y voir aussi comme dans les lapsus une révélation sur les préoccupations inconscientes du professeur : les prunes et les pépins pouvant renvoyer aux « fruits défendus », les oies (blanches) à la virginité de son interlocutrice. On peut également rapprocher ce passage d'un film de 9 min présenté en novembre 1951 : *Arithmétique*.

Réalisé par P. Kast, il a pour auteur Raymond Queneau, partisan déterminé des premières pièces de
Ionesco. Ce court métrage débute par l'affirmation
suivante : L'arithmétique est l'ensemble des
procédés raisonnés et pratiques qui permettent de
porter des jugements exacts et utiles sur les tas,
troupeaux, collections...

Page 106 : Il n'y a pas d'unités, monsieur, entre
trois et quatre. Dans le film précédemment
mentionné, Queneau, qui joue le rôle du professeur,
affirme : Naturellement on suppose qu'entre 2 et
3, il n'y a pas d'autre nombre naturel. Si on en
avait oublié un, on serait obligé de recommencer
tous les calculs depuis que l'homme compte.

– On ne voit pas les allumettes, ni aucun des objets
[...]. Ce décalage entre ce que les personnages
admettent comme concret, réel et ce que le
spectateur perçoit est d'abord un procédé théâtral
efficace pour souligner l'abstraction du savoir, et
suggérer sa vanité. La démonstration concernant les
mathématiques est donc entachée d'absurdité.
Personne ne voit les objets dont parle le professeur,
de même que l'élève ne saisit pas intellectuellement
l'explication. Grotesque marionnette, l'enseignant
parle dans le vide, écrit sur et avec du vide. De
plus, les instruments ainsi anéantis symbolisent
les intentions perverses du maître : les allumettes peuvent évoquer le feu du désir, la craie,
le tableau noir et les bâtons (si bien nommés) sont
les armes d'un pouvoir déjà dénoncé par Super-
vielle dans « Mathématiques », poème paru en
1925 dans *Gravitations,* et par Prévert dans
Paroles (1925).

> Le cancre
> ... dit oui à ce qu'il aime
> il dit non au professeur...
> et il efface tout

les chiffres et les mots...
sur le tableau noir du malheur.

L'écolier de *Page d'écriture* fuit par le rêve une leçon d'arithmétique – encore :

Quatre et quatre huit
huit et huit font seize
et seize et seize qu'est-ce qu'ils font ?

jusqu'à ce que la musique de l'oiseau-lyre fasse s'évanouir le décor de prison : La craie redevient falaise... Cependant, chez Prévert, l'élimination du tableau dans l'esprit de l'élève valorise ses capacités créatrices, la fraîcheur de son imagination et son goût pour la liberté. Rien de tel chez Ionesco : l'élève voit le tableau et est d'une totale stupidité.

D'une façon plus générale, encore, la disparition de ces objets participe de l'entreprise de dé-réalisation du théâtre engagée par Ionesco dès sa première pièce. Cherchant à être « non figuratif », abstrait, l'auteur rejoint, par-delà le réalisme, voire le naturalisme du « drame bourgeois », la tradition en vigueur par exemple dans le théâtre élisabéthain où la stylisation était si grande qu'elle confinait à l'abstraction (ainsi sur la scène, un arbre symbolisait une forêt, des personnages vêtus d'armures : un champ de bataille...). Comment aussi ne pas songer à Jarry qui écrit dans *Douze Arguments sur le théâtre* : Nous croyons être sûrs d'assister à une naissance du théâtre, car pour la première fois il y a en France un théâtre ABSTRAIT (1896). Cette intention est clairement revendiquée par Ionesco dans *Notes et Contre-notes* (p. 254) : *La Cantatrice chauve* aussi bien que *La Leçon* : entre autres tentatives d'un fonctionnement à vide du mécanisme du théâtre. Essai d'un théâtre abstrait ou non figuratif.

– Il faut aussi désintégrer [...] C'est ça la science. C'est ça le progrès [...]. Cette série d'affirmations symétriques met en relation directe l'idée de destruction avec celle de civilisation. C'est un symptôme alarmant des pulsions agressives du « savant » professeur, lointain compagnon du malheureux Dr Jekyll, inventé par Stevenson en 1885, qui ne peut empêcher sa métamorphose dans le hideux Mr Hyde. Plus généralement, ces assertions se réfèrent à un courant de pensée qui – après l'explosion atomique d'Hiroshima – voit dans le progrès technique l'instrument de la ruine de l'humanité. Hanté par cette idée, Ionesco écrit en 1960 : *Sur le progrès* : on dit que « ça » ne va pas... Pourtant (dit-on toujours), cela va mieux qu'avant et cela ira mieux demain. En réalité, il est tout à fait évident que « ça » va de plus en plus mal... que jamais, comme aujourd'hui, la vie universelle n'a été si menacée ; la science, il est évident, qui devait apporter la sécurité et le bonheur, nous a apporté l'insécurité, des angoisses supplémentaires (*N.C.N.*, p. 319-320). Les apocalypses plaisent à Ionesco qui s'en sert par exemple dans son roman *Le Solitaire* ou dans son film *La Colère*. Ce qui est choquant ici c'est que le professeur assume cyniquement cette loi du progrès et l'utilise pour justifier son « œuvre » : l'élimination des jeunes filles. *Le Piéton de l'air* met également en scène deux enfants, assassinés, en présence de leurs parents dont on a obtenu l'accord, par euthanasie préventive (p. 187). La forme la plus directe d'éducation à la vie devient donc le meurtre.

Page 107 : Si vous aviez eu deux nez [...]. Dans *Jacques ou la Soumission*, que Ionesco a terminé l'été 1950 et dont la conception a donc été plus ou moins contemporaine de celle de *La Leçon*, le héros, Jacques, se voit proposer une fiancée, Roberte, dotée de deux nez, mais proteste : Elle n'en a pas assez ! Il m'en faut une avec trois nez... au moins (*Th. I*, p. 112). On lui amène alors Roberte II, à trois nez. Elle aussi prétend : J'ai une solide instruction. J'ai reçu une bonne éducation

(p. 119) et va le séduire en lui racontant une histoire d'étalon à la crinière enflammée. Notons au passage qu'elle dispose en plus de neuf doigts à la main gauche, ce qui fait songer au débat de *La Leçon* (p. 110). Les exemples du professeur ne sont donc pas seulement inquiétants en tant qu'action sadique : arracher un nez, enlever une oreille (p. 108), la manger (p. 109), ils renvoient également à des symboles d'ordre sexuel.

Page 122 : J'ai mal aux dents. **Ce refrain intervient trente-quatre fois. La souffrance physique de l'élève correspond évidemment au tragique de sa situation, mais la noblesse de la douleur morale a laissé la place à un banal problème organique. Précisément peut-être parce qu'elle est inapte à souffrir moralement, par sottise ou vacuité, l'élève se réfugie dans la douleur physique ; elle se replie sur elle-même et se détache du monde extérieur, comme le fera Béranger à la fin du *Roi se meurt*. Cette souffrance la vide progressivement de son énergie et prépare sa résignation finale. C'est donc en quelque sorte la torture – la « question » – qui prélude à son exécution. Que le professeur colérique soit le responsable de cette rage de dents peut nous être prouvé par sa réaction. L'accélération qu'il imprime à son cours manifeste sa satisfaction.**

Mais pourquoi les dents, et pas la tête ou le ventre ? Cette souffrance buccale peut préfigurer le viol, si l'on songe à une fixation sexuelle juvénile sur l'oralité. Les dents symbolisent aussi l'intelligence, la capacité d'assimilation (*cf.* Tzara : La pensée se fait dans la bouche). **La sottise de l'élève transparaît alors dans ce mal. Enfin, grincer des dents, montrer les dents sont les réponses animales à un comportement agressif. L'élève, qui ne peut se défendre, se contente de cette manifestation dégradée de révolte.**

Page 123 : Pour faire sortir les mots, les sons [...]. **Molière, dans** *Le Bourgeois Gentilhomme*, **réduit lui aussi une leçon au nom impressionnant (il ne s'agissait pas de la philologie mais de la philosophie) à un cours de prononciation (Acte II, scène 4). La caricature est du même ordre :** La voix [i] [se forme] en rapprochant encore davantage les mâchoires l'une de l'autre, et écartant les deux coins de la bouche vers les oreilles, **énonce le maître de philosophie ; la différence est dans la réaction de l'« élève » : le bourgeois naïvement ébloui s'oppose à la jeune fille distraite par son mal de dents.**

Page 127 : Les roses de ma grand-mère [...]. **Benjamin Péret, dans** *Le Grand Jeu* **(1928), joue aussi sur les comparatifs dépourvus de tout rapport, dans un poème intitulé « Sans tomates pas d'artichauts » :**

Mes tomates sont plus mûres que tes sabots
Et tes artichauts ressemblent à ma fille.

L'objectif dans La Leçon **n'est sans doute pas la surprise poétique, mais plutôt la satire des exemples grammaticaux, incongrus ou fades. (Quel latiniste n'a subi la déclinaison de** *rosa*, **la rose ?)**

Page 138 : C'est comme voulez... Après tout... **Cette résignation de l'élève l'écarte des personnages tragiques car elle ne réussit pas à assumer son destin : ses velléités de résistance ont été dérisoires** (Vous m'embêtez, **p. 132,** Essayez donc ! Crâneur !, **p. 135). La lucidité et l'énergie lui font défaut pour résister. On peut même voir dans cette réplique une vague curiosité, un désir inconscient qui feront toute l'ambiguïté de la scène du meurtre.**

– Marie ! [...] Pourquoi ne venez-vous pas ! **L'utilisation de la bonne par le professeur fait songer à celle de la conscience par le Père Ubu dans** *Ubu cocu*. **Ce dernier s'en débarrasse dès qu'elle le gêne, et l'enferme dans une valise. Mais au premier**

Gouache récente d'Eugène Ionesco. Coll. particulière. Ph. Éditions Gallimard.

problème il l'appelle : Ma conscience, où êtes-vous ? Cornegidouille, vous me donniez de bons conseils (acte II, scène 3). Mais c'est pour la trahir aussitôt. Le professeur lui aussi réclame l'aide de Marie, mais refuse d'obéir à ses objurgations.

Page 139 : Le couteau. Invisible ou démesuré, hors du réel donc, le couteau appelle une interprétation qu'il est tentant de réduire à la sexualité car la psychanalyse nous a habitués à considérer que les pulsions sexuelles sont les clefs du comportement. D'autre part, l'ensemble des didascalies voulues par l'auteur confirme l'aspect concret du viol (cris, position des jambes, soubresaut, p. 143). Toutefois, par le biais de la sexualité, Ionesco veut sans doute souligner l'impudeur de la mort, l'horreur qu'elle dégage et qui fascine tant l'auteur du *Roi se meurt*. On remarquera que Nicolas tue le policier de *Victimes du devoir* avec un couteau également, dépourvu cette fois de toute symbolique autre que la haine, et que la même arme sert au méthodique assassin de *Tueur sans gages*, comme à Macbett poignardant Duncan (*Macbett*). On peut alors rapprocher ce couteau de la faux manipulée par l'allégorie de la Mort.

Page 141 : Regardez [...] répétez [...] Qu'est-ce que vous vous permettez ? Interrogatoire sadique et meurtre appartiennent à la thématique du roman policier, reprise et parodiée par le Nouveau Roman (Pinget, *L'Inquisitoire*) qui garde l'atmosphère cruelle mais refuse l'aspect rationnel de l'enquête. On peut songer également à *L'Anniversaire* (1958) de Pinter où deux personnages inquiétants, Goldberg et MacCann, jouent au chat et à la souris avec Stanley, leur future victime, en le harcelant de questions. (Éditions Gallimard, p. 56 et suiv.)

Page 144 : Alors, vous êtes content de votre élève ? **La position finale de Marie dans** *La Leçon* **préfigure plusieurs rôles féminins du théâtre de Ionesco. Femme pratique, la bonne se présente comme une sorte d'incarnation d'une conscience plutôt élastique qui ne condamne le mal que pour les désagréments domestiques qui en résultent. Préoccupée par la santé et la position sociale du maître, elle annonce les épouses aigries : les Madeleine d'*Amédée ou comment s'en débarrasser* et de *Victimes du devoir*, ainsi qu'Alice, la sœur du Gros Monsieur dans *Le Tableau*. Protectrice comme elles, elle se montre cependant moins envahissante car elle a un amoureux – fort conventionnel dans les histoires grivoises sur les bonnes : le curé Auguste, et elle est tabou :** Vous vouliez me faire ça à moi !... **s'exclame-t-elle (p. 146).**

Page 145 : Et c'est la quarantième fois. **L'énormité du chiffre place nécessairement la pièce en dehors du réalisme. Mais le remplacer par quatre, comme l'a fait le metteur en scène Peter Hall, ne rend pas l'intrigue plus crédible. Ce chiffre rond évoque sans doute une classe, avec ses quarante élèves, mais il est aussi chargé de connotations religieuses. Dans l'Ancien Testament, ce nombre correspond à plusieurs interventions de Dieu : Saül et David règnent 40 ans, le déluge a duré 40 jours, Moïse resta 40 jours également au sommet du Sinaï. Jésus, nous dit le Nouveau Testament, fut présenté au Temple 40 jours après sa naissance, l'église impose 40 jours de carême, etc. Toutefois, ce cycle qui, dans la Bible, débouche sur un renouveau, ne correspond à rien de tel dans** *La Leçon*. **La quarante et unième élève sonne à la fin de la pièce, et le destin qui l'attend est inéluctable.**

Page 146 : La bonne gifle [...] le Professeur. **Ce renversement de situation est un procédé de farce**

dont Ionesco usera également dans *L'Impromptu de l'Alma* où Marie, bonne du personnage Ionesco, chasse les docteurs Bartholomeus I, II et III avec son balai. De même, l'arrogant policier de *Victimes du devoir* va jusqu'à supplier Nicolas de l'épargner et le Vieux Monsieur du *Tableau*, si plein de morgue devant le jeune artiste peintre, n'est plus qu'un tout petit garçon devant sa sœur. Provisoirement au moins, les détenteurs du pouvoir trouvent plus fort qu'eux. Tardieu déjà, dans une pièce écrite en 1947 : La Politesse inutile (parue dans *La Comédie de la comédie*), présentait un professeur d'abord très suffisant devant un étudiant intimidé, puis maltraité par un visiteur refusant toutes les conventions et venu se venger d'un mauvais souvenir.

Page 147 : La ville de Pire. Il y a ici un clin d'œil à La Fontaine dont la fable *« Le Singe et le Dauphin »* raconte la mésaventure d'un singe, qui, voulant se faire passer pour un homme, confond par ignorance le port du Pirée avec un nom d'individu, révélant ainsi qu'il n'était qu'une bête. Dans *La Leçon*, le professeur veut affaiblir sa responsabilité de criminel, en prétendant s'être trompé : c'est l'opération inverse de celle du singe, aussi se fait-il traiter de vieux renard.

III. LA CANTATRICE CHAUVE : PLUSIEURS AUTRES FINS POSSIBLES INÉDITES

Le texte qui suit a été publié dans l'édition de *La Cantatrice chauve*, interprétation typographique de Massin et photographie de H. Cohen, Gallimard, 1964.

En voici une, difficilement jouable, car elle nécessiterait une trop nombreuse figuration :

Dans la dernière scène, après le départ du pompier, les personnages se jettent à la figure des phrases désarticulées, puis des mots, des syllabes, des voyelles, des consonnes. Cette scène aurait pu être plus violente, les personnages auraient pu arriver à être au comble de la fureur si une mise en scène très dynamique, ayant cette fin en vue, avait permis un crescendo, et préparé un déchaînement paroxystique désarticulant les personnages eux-mêmes. Je dois dire que le jeu de Nicolas Bataille et de ses comédiens est excellent ; leur interprétation donne bien l'expression de la querelle, de la colère – qui aurait pu, toutefois, pourquoi pas, gagner encore en véhémence. Ainsi, les personnages auraient pu se crier les répliques susdites, ou les fausses répliques, dans les oreilles les uns des autres ; ils auraient pu se mettre le poing sous le nez ; se cracher au visage ; arracher les chapeaux, cravates, etc., jusqu'à « c'est pas par là, c'est par ici », pendant que la pendule aurait pu s'écrouler avec fracas et qu'on aurait pu entendre le tonnerre, apercevoir des éclairs.

Puis, soudainement, apparition de Mary, la bonne.

Mary *(entrant)* : Madame est servie !

(Brusque arrêt du mouvement. Pause. Court silence. Comme si rien ne s'était passé, les Smith, reconstitués, sourient aux Martin, M. Martin sourit à Mme Martin, Mme Smith à M. Martin, etc. ; inclinaisons, révérences excessivement polies. Mme Smith offre son bras à M. Martin ; ceux-ci sont suivis par M. Smith qui a offert son bras à Mme Martin. Orchestre en sourdine.)

Mme Smith *(à M. Martin)* : Mary a préparé un plat excellent. Une spécialité de sa province.

M. Martin *(à Mme Smith)* : Puis-je savoir quel est ce plat, chère amie ?

Mme Smith : De la purée d'excréments de volaille au jus de citron.

M. Martin : C'est bon aussi à la citrouille.

Mme Smith : Vous connaissiez ? *(Ils sortent.)*

M. Smith *(à Mme Martin)* : Nous aurons une boisson excellente, ma chère amie, à ce dîner.

Mme Martin : Puis-je savoir, cher ami, si je ne suis indiscrète ?

M. Smith : Du pipi de jument alcoolisé.

Mme Martin : Oh ! délicieux ! je n'ose croire... En bouteille, n'est-ce pas ?

(Ils sortent. Mary sort aussi.)

La scène reste vide. L'orchestre cesse de jouer progressivement. La scène reste vide longtemps encore. Des minutes s'écoulent. Le public peut, à un certain moment, soit quitter la salle et l'on fermerait les portes, soit exprimer son mécontentement, encouragé par des compères mêlés au public. Il y aurait, dans ce cas, des sifflements, huées, protestations, injures, carottes jetées sur le plateau, œufs pourris, etc. Une dizaine ou davantage de figurants montent à l'assaut de la scène, hurlant, armés de massues (des figurants, hélas, car il n'est guère possible d'espérer que d'authentiques spectateurs viennent se jeter sur le plateau et les décors !). Au moment où les furieux ont pris pied et se dirigent vers le fond des décors, des mitrailleuses crépitent aux quatre coins du plateau (de fausses mitrailleuses, de fausses balles, car, vraiment, on ne peut, une fois encore, en espérer de véritables). Les assaillants tombent morts. Le directeur du théâtre, l'auteur, un commissaire de police, plusieurs gendarmes venant des coulisses font leur apparition, calmement, sur le plateau. Le directeur du théâtre compte les cadavres allongés. Il regarde ses partenaires d'un air satisfait.

Le directeur du théâtre *(après avoir compté les morts)* : Ce n'est pas mal... Espérons qu'ils seront plus nombreux demain. Toutes mes félicitations, monsieur le commissaire.

L'auteur *(au directeur du théâtre)* : Merci de m'avoir défendu. *(Il montre la salle ; puis, face au public :)* Je suis un auteur d'État !

Le directeur du théâtre *(aux spectateurs effrayés)* : Canailles ! Ce n'est pas votre place ! Qu'est-ce qu'il vous prend de venir vous mêler de ce qui ne vous regarde pas ? Que cela vous entre dans la tête ! *(Il montre les cadavres sur la scène.)* Que cela vous serve de leçon. Voilà ce qui vous attend ! Nous défendrons, contre le public en l'empêchant de venir, la plus noble institution de notre patrimoine culturel : le théâtre, temple sublime des actrices ! *(Aux gendarmes :)* Chassez-les. *(Au public :)* Que je ne vous y prenne plus. Ne remettez plus les pieds ici.

(L'auteur, le directeur du théâtre, le commissaire de police se congratulent réciproquement, ainsi que les acteurs qui viennent des coulisses ; ils s'embrassent, parlent gaiement, tandis que les gendarmes, mitrailleuses en main, évacuent brutalement la salle.)

Voici un autre final, réalisable, prévu pour des spectateurs plus sensibles :
Mary entre, à la fin de la dernière réplique de

la dernière scène : « C'est pas par là, c'est par ici... », etc.

Mary *(annonçant)* : Mesdames et Messieurs, voici l'auteur !

Des compères *(dans la salle)* : L'auteur, l'auteur ! Vive l'auteur !

(L'auteur entre par le fond du plateau ; les comédiens, en rang, de chaque côté de la scène, font la haie, laissent passer l'auteur, s'inclinent à son passage.)

L'auteur *(souriant d'abord, puis furieux, face au public, montrant le poing)* : Tas de coquins*, j'aurai vos peaux !

(Le rideau tombe vite.)

En dehors de la fin avec le recommencement (celle que l'on joue habituellement), et les deux scènes finales que je viens de vous présenter, trente-six autres fins sont possibles et ... pensées.

En réalité, les personnages devraient littéralement exploser ou fondre comme leur langage ; on devrait voir leurs têtes se détacher des corps, les bras et jambes voler en éclats, etc.

Cela n'est possible qu'au cinéma. (Et encore ! Ce ne serait que du trucage.) Je me propose, toutefois, d'en faire un film explosif.

EUGÈNE IONESCO.

---

* Ou coquins, bandits, ou cons, salauds, etc., selon la tête des spectateurs.

IV. ACCUEIL

Représentées sans discontinuité depuis 1957 au théâtre de la Huchette, traduites en plusieurs langues et jouées dans le monde entier, considérées maintenant comme des classiques du nouveau théâtre de l'après-guerre, *La Cantatrice chauve* et *La Leçon* ne se sont pas imposées d'emblée. Il est de tradition d'insister sur leur échec initial, l'incompréhension qui les accueillit ; Giovanni Lista dans son *Ionesco* (1989), estimant que la critique des deux pièces fut globalement favorable, fait figure d'exception en prenant le contre-pied de cette tradition. G. Serreau rappelle qu'en 1950 N. Bataille « jouait *La Cantatrice* devant des fauteuils vides ou un maigre public exaspéré » (*Histoire du nouveau théâtre,* p. 37). E. Jacquart renchérit : « *On ricana, on parla d'égarement, de mystification et de décadence* » (*Le Théâtre de dérision,* p. 27). Ionesco, avec une délectation ironique, a souligné cet échec dans un texte de 1957 : « Il y a sept ans que l'on a joué ma première pièce, à Paris. Ce fut un petit insuccès, un médiocre scandale. À ma deuxième pièce, l'insuccès fut déjà un petit peu plus grand, le scandale légèrement plus important [...] À mes troisième, quatrième, cinquième... huitième spectacles, les échecs grandissaient, à pas de géants [...] La quantité se transforme-t-elle en qualité ? Je le pense, puisque dix échecs sont devenus le succès aujourd'hui » (*N.C.N.*, p. 305-306). Il est certain qu'à ses débuts Ionesco eut des défenseurs vigoureux et des détracteurs tout aussi déterminés dans les milieux littéraires (plus tard aussi, mais pour d'autres raisons...) : Lista et les spécialistes de Ionesco qui l'ont précédé diffèrent par l'importance respective qu'ils accordent aux uns et aux autres.

Ce qui est non moins certain, c'est que le public

touché fut restreint tant en 1950 qu'en 1951. Il ne faut pas oublier que les deux pièces furent jouées à l'origine par de jeunes acteurs sans notoriété et dans de petits théâtres qui ne drainaient pas les foules. Il y eut 25 représentations de *La Cantatrice chauve* du 11 mai au 16 juin 1950. *La Leçon*, créée le 20 février 1951 au théâtre de Poche, puis reprise en juillet au théâtre Lancry, totalisait le 8 août 1951 35 représentations. Si des critiques accueillirent fraîchement *La Cantatrice chauve* puis *La Leçon* alors que d'autres, plutôt moins nombreux mais plus perspicaces, s'enthousiasmaient, il n'y eut pas de bataille d'*Hernani*, faute d'infanterie.

La condamnation fut prononcée par des critiques qui ne voyaient dans ces pièces qu'incohérence, facilité, plaisanterie pénible étirée en longueur. Le représentant le plus caractéristique de cette attitude sera le critique du *Figaro*, J.J. Gautier, brocardé par Ionesco dans *L'Impromptu de l'Alma* dans le personnage de Bartholomeus III. Gautier aura du moins le mérite de la constance, car lorsqu'il prendra goût plus tard au théâtre de Ionesco jusqu'à voir dans l'auteur « un contemporain capital » (*Le Figaro,* 4 mars 1977), il précisera dans le même article : « Le début de *La Leçon* ou de *La Cantatrice chauve* me faisait rire, mais pas assez longtemps pour que je subisse avec patience, jusqu'au bout des pièces en question, un genre de drôlerie qui me semblait issu de l'incohérence calculée des sketches du cirque, ou de l'enregistrement textuel de certaines conversations insanes exaspérantes dans la vie. » En estimant que les premières pièces de Ionesco avaient « le tort de durer plus de cinq minutes » (article cité), Gautier illustre avec outrance l'attitude générale des premiers contempteurs de Ionesco. Les plus indulgents d'entre eux lui accordent des aptitudes dans le domaine du cabaret.

À l'opposé, ces deux pièces furent chaleureusement soutenues par des partisans déterminés, capables de percevoir leur charme ; essentiellement des écrivains comme Queneau, A. Breton, Salacrou, Paulhan, de jeunes metteurs en scène, mais aussi un critique immédiatement conquis, Jacques Lemarchand, qui tenait la chronique théâtrale dans *Le Figaro littéraire*. Mais, à l'exception de Lemarchand, ces défenseurs ne bénéficiaient pas d'une tribune qui aurait permis un soutien efficace, alors que la grande presse (*Le Monde, Le Figaro*) ne témoignait d'aucune sympathie pour ce nouveau théâtre.

Les deux articles sur *La Cantatrice chauve* qu'on pourra lire ci-dessous sont intéressants à plusieurs titres. Le billet de J.-B. Jeener est une réaction à chaud : la pièce a été jouée pour la première fois le jeudi 11 mai : dès le samedi, coincée entre un article de critique musicale et une photographie du film *Miracle à Milan*, paraît cette rapide exécution. On remarquera que Jeener utilise le premier un argument souvent repris ensuite : la comparaison de Ionesco avec Vitrac, qui, à ses yeux, ne peut être qu'écrasante pour le premier.

Il s'agit, précise l'auteur, d'une « anti-pièce »... On voit d'ici ce que cette définition veut avoir de provocant, on voit moins ce qu'elle veut dire... En y allant, on comprend : c'est la seule expression juste que M. Ionesco ait découverte avec ou sans l'appui du dictionnaire.

Pourtant, cette anti-pièce commençait bien : on riait, il y avait dans ses cinq premières minutes (mais cinq minutes peuvent-elles excuser une heure d'ennui ?) on ne sait quelle liberté saugrenue, facile et non sans tendresse puis l'absurde (vous savez l'Absurde géométrique, métaphysique, phonétique et symbolique) s'installa comme un conférencier payé à la ligne. Alors la générosité initiale de M. Ionesco se perdit dans un désert piétiné, monotone et jonché de cartes de visite jusques aux coups de génie de la verbosité assonancée et du refrain si brutalement original de la « Romance du Muguet » qui, en mai comme ailleurs, « finit comme elle commence »...

Et maintenant, admirons le surhumain courage de ceux qui, sans une faute, ont retenu, interprété, incarné, sublimé *l'anti-texte* de M. Ionesco. Que ne feront-ils pas le jour où, poussés par leurs conquêtes et l'exaltant parfum des Terres Nouvelles, ils découvriront ou Molière ou Vitrac ?

En attendant, ils font perdre des spectateurs au théâtre...

L'article de Pouillon, plus tardif, révèle une lucidité à laquelle Ionesco a plusieurs fois rendu hommage (*N.C.N.*, p. 252 ; *E.C.B.*). Dans ce dernier ouvrage, Ionesco précise : « Il y a quelqu'un qui a très bien compris la pièce. C'est Jean Pouillon. Il a écrit dans *Les Temps modernes* en juin 1950 un papier où il expliquait à merveille ce que j'avais voulu faire. C'était bien cela » **(*E.C.B.*, p. 69). En fait l'article parut dans le n° 57 de juillet 1950.**

Cette pièce fait rire les spectateurs qui viennent, trop peu nombreux, l'entendre. Mais ils auraient tort de s'en tenir là. La pièce vaut mieux que cela. D'ailleurs le rire qu'elle suscite est équivoque : d'une part il naît aux répliques saugrenues, aux imbécillités gravement proférées, aux lieux communs astucieusement désarticulés et comiquement reconstitués : d'autre part il est provoqué par le jeu des acteurs, naturel et conventionnel à la fois, naturel parce qu'à n'en pas douter ces gestes et ces mimiques sont les nôtres, conventionnel parce qu'ils sont dépouillés de toute signification qui leur viendrait des répliques échangées, parce qu'ils sont réduits à l'état de purs gestes et de pures mimiques. On rit du décalage entre les mots et les conduites, le naturel des conduites se heurte drôlement à la sottise des mots : on rit ainsi du naturel, de la sottise, mais bientôt également de la sottise d'un naturel qu'on ne peut renier. C'est alors que le rire se transforme en malaise : le spectacle est sur la scène, certes, mais n'est-il pas d'abord, tous les jours, en nous et autour de nous ? Je connais des gens qui sont sortis de la salle, précautionneux, inquiets de ce qu'ils allaient dire et, pour un peu, aphasiques. Cette pièce apparemment folle serait-elle donc une excellente pièce réaliste ? C'est le cas, je crois, mais il faut préciser qu'une pièce véritablement réaliste ne peut absolument pas être une pièce comme les autres. Le réalisme au théâtre est nécessairement étrange ; c'est pourquoi le côté burlesque de *La Cantatrice chauve* ne procède nullement d'une fantaisie arbitraire.

Au théâtre, d'ordinaire, le réalisme n'est qu'un instrument très partiellement utilisé pour donner de la crédibilité à l'intrigue qui se déroule sur la scène. L'essentiel reste cette histoire [...]

Mais on peut – et c'est ce qui se passe avec *La Cantatrice chauve* – inverser la situation. Le réalisme n'est plus alors un moyen, il est une fin et peu importe que paraissent invraisemblables les moyens de cette fin. On ne transpose plus sur la scène certains aspects du réel pour faire passer cette pilule qu'est la pièce, mais ce qui se passe sur la scène doit en quelque manière venir mettre en cause notre réel à nous, spectateurs. Il ne s'agit pas d'imiter la réalité, il s'agit de la faire comprendre. Le réalisme ne consiste plus à donner une certaine couleur de vraisemblance à une histoire inventée, il signifie simplement ceci : que ce qui se dit et se fait devant nous nous concerne directement, sur le moment même, et non facultativement, par le biais de la signification abstraite d'un sujet complaisamment exposé. Le spectateur doit être surpris par le spectacle de ce qu'il a coutume de voir sans comprendre.

Ce qui complique la situation pour M. Ionesco, c'est que la réalité lui apparaît comme un non-sens, un jeu ridicule. Comment alors exprimer directement le sens de ce non-sens ? Comment exprimer positivement ce qui est seulement négatif ? Il faut que ses personnages parlent pour ne rien dire, que leurs propos soient équivalents aux plus vides qu'on puisse imaginer et, pour qu'on ne se méprenne pas sur le caractère absolu de cette équivalence dans la futilité, que la pièce finisse par où elle avait arbitrairement débuté ! Et le spectateur sort, lui aussi, par l'entrée, comme toujours sans doute, mais cette fois il s'en aperçoit et se croit mystifié : il était venu au théâtre et il ne s'est rien passé. Il était là et il se retrouve là, stupide. Bien sûr, il peut ensuite se secouer et se dire que la réalité humaine, ce n'est pas que cela. Mais c'est cela aussi.

La Leçon n'a pas suscité un article aussi pertinent que celui de Pouillon pour *La Cantatrice chauve* dans les semaines qui suivirent sa création. En réalité, on retrouve les mêmes adversaires et les mêmes partisans, avec quelques légères fluctuations. Ainsi le critique du quotidien *L'Aurore*, G. Joly, qui avait reconnu dans *La Cantatrice chauve* quelques dons comiques mais qui n'en pensait pas moins qu'« il n'y avait pas là de quoi faire une pièce », se montrait sensible à ces mêmes dons dans *La Leçon* et gommait les réserves antérieures ; il soulignait en particulier chez l'auteur « son sens aigu de l'absurde, sa dextérité à renverser les termes des propositions et à prendre à rebours les axiomes sur lesquels s'endort notre paresse... et son cynisme bon enfant qui se réclame d'une tradition ubuesque d'ailleurs tombée dans le domaine public ». (*L'Aurore*, 22 février 1951.)

La création des *Chaises* en 1952, de *Victimes du devoir* en 1953, la reprise, au théâtre de la Huchette, du 7 octobre au 26 avril 1953, de *La Cantatrice chauve* et de *La Leçon*, pour la première fois jouées à la suite, démontrent que, si le public continue à bouder la plupart des représentations, des metteurs en scène font confiance à Ionesco.

L'année 1953 fut pourtant capitale, car la création d'*En attendant Godot* de Beckett, en janvier, marque le premier succès du nouveau théâtre et contribue à élargir sensiblement son public. Certes, *En attendant Godot* n'est pas *la cause* d'une évolution plus favorable de la perception des pièces de Ionesco, car on pourrait aussi bien prétendre que Beckett a bénéficié des combats d'Adamov et de Ionesco qui se trouvèrent avant lui en première ligne. Mais le succès de Beckett indique qu'un changement s'opère dans la conception que le public a du théâtre. Autre signe : en 1954, les éditions Gallimard entreprennent la publication des premières pièces de Ionesco. Cette caution littéraire n'est pas encore une consécration, elle est du moins une reconnaissance.

Les années 1955 et 1956 voient monter l'étoile de Ionesco. L'auteur n'a pas gagné tout le public, mais il a *son* public, et plus seulement un noyau de fidèles. Le critique F. Jotterand, rendant compte de la présentation au théâtre de la Huchette de *Jacques ou la Soumission* et du *Tableau*, peut écrire : « Il ne s'agit plus pour le critique de défendre ou d'attaquer ce style théâtral cinq ans après *La Cantatrice chauve* : le théâtre de Ionesco est accepté par la majorité du public qui s'intéresse à autre chose qu'aux Folies-Bergère et aux derniers strip-teases du Palais-Royal » (*La Gazette de Lausanne*, 23 octobre 1955). Reprise en février 1956, *Les Chaises* connut le succès : quatre ans après l'insuccès de la création, le chemin parcouru était considérable. Depuis 1953 des critiques engagés, admirateurs du théâtre de Brecht, avaient grossi les rangs des adversaires de Ionesco. B. Dort, Barthes dénonçaient la stérilité de son théâtre. La polémique, dans laquelle l'auteur rendit coup pour coup, ne fut pas nuisible au succès naissant. Un article d'Anouilh (*Le Figaro* du 23 avril 1956) en faveur des *Chaises* eut certainement plus d'influence auprès d'un large public que les attaques des « brechtiens », publiées dans des revues qui ne pouvaient prétendre à la même diffusion.

Cette nouvelle situation éclaire le climat de la reprise de *La Cantatrice chauve* et de *La Leçon* en 1957. Plus qu'une nouvelle tentative pour imposer un jeune auteur, cette reprise est une étape décisive sur la voie d'une consécration qui sera définitive avec la mise en scène de *Rhinocéros* par J.-L. Barrault au Théâtre de France en janvier 1960. En 1957, Ionesco a déjà fait jouer huit pièces sur les scènes parisiennes, sans compter les sept pièces courtes données au théâtre de la Huchette en 1953 ; le second tome de son théâtre allait paraître en 1958. Les extraits de presse suivants montrent bien qu'en six ou sept ans beaucoup de choses ont changé.

Classique de la rive gauche, M. Eugène Ionesco fait l'affiche du théâtre de la Huchette, où MM. Nicolas Bataille et Marcel Cuvelier reprennent, respectivement, *La Cantatrice chauve* et *La Leçon*. Dans cinquante ans, c'est à la Comédie-Française que l'on jouera au moins la seconde de ces pièces, et nos petits-enfants parleront alors, avec un irrespect teinté d'admiration, de « cette vieille barbe de Ionesco ». Nous n'en sommes pas là, mais déjà le snobisme est largement dépassé. (Guy Verdot, *Franc-Tireur* du 20 février 1957.)

Eugène Ionesco serait-il en passe de devenir un de nos « classiques » ? En mai 1950, *La Cantatrice chauve*, créée au théâtre des Noctambules, causait un scandale. Cet homme se moquait du monde. Sept ans plus tard, à la Huchette, le public est unanime à l'applaudir, à se moquer du monde avec lui. (Franck Jotterand, *La Gazette de Lausanne* du 29 février 1957.)

Voici donc retrouvée, grâce à Ionesco, Nicolas Bataille et Marcel Cuvelier, la Huchette des soirs glorieux. Avec un public attentif, parcouru de rire, soudain figé dans le silence d'une certaine émotion. Certes, il se compose d'initiés à ce théâtre, mais aussi de gens qui le découvrent. Même pour ceux-là, le temps a travaillé en faveur de Ionesco. Ce qui scandalisait a pu étonner, ce qui étonnait a fini par se faire entendre. Les réactions des spectateurs font plaisir à voir : ils ne refusent plus l'insolite et ils cherchent à l'insolite la signification qu'a voulu lui donner l'auteur.

Quelle signification ? Celle de tout le théâtre de Ionesco, dont Nicolas Bataille et Marcel Cuvelier nous offrent, en « reprises », deux pièces, Nicolas Bataille : *La Cantatrice chauve*, Marcel Cuvelier : *La Leçon*.

J'ai si souvent parlé de *La Leçon* que je n'y reviendrai que pour dire l'excellence de l'interprétation retrouvée de Cuvelier, dans le rôle du professeur. Nous avons tous connu de ces enseignants dont le comédien, avec le plus comique esprit d'observation et d'imitation, montre les déformations et les tics révélateurs. Ce n'est pas à dire qu'ils arrivent, dans le réel, jusqu'à la bouffonnerie dramatique du comportement final du professeur de Ionesco, qui tue son élève ! Mais qui peut assurer que, dans le figuré, il ne s'en trouve pas pour aller jusque-là ? « Hélas, que j'en ai vu mourir »... etc. Avec beaucoup de drôlerie, Rosette Zuchelli est toujours l'élève, victime de sa niaiserie autant que de son maître.

Et peut-on regretter qu'une jeune comédienne, Jacqueline Staup, succède à un comédien dans le rôle de la bonne ? Elle le tient sans démesure :

c'est aussi le mérite de l'interprétation de *La Cantatrice chauve.*

Voilà la pièce type du théâtre de Ionesco. Solitude des êtres, étrangers les uns aux autres, chacun s'isolant dans son monologue intérieur : un psittacisme dérisoire. Absurdité du langage, de la vie, des rapports de l'homme avec l'homme – dans la famille comme dans la société – et de l'homme avec soi. Confusion. Malentendus.

Ici, Ionesco a situé ses marionnettes dans le pays du conformisme satisfait. Rien de plus désopilant que l'humour qui grince tout au long de cet acte dont le burlesque soulage l'amertume. Amertume pas désespérée. Comme, pour conclure à l'absurde, il faut partir du raisonnable, et que celui-là ne se définit que par celui-ci, c'est finalement à la reconnaissance consolante de la raison que ce théâtre nous conduit.

La Cantatrice chauve gagne à être jouée par Odette Piquet et Claude Mansard, Thérèse Quentin et Nicolas Bataille, Jacqueline Staup et Pierre Frag, dans un style moins excessif, moins grotesque que celui des interprètes de la création, en caricature moins inquiétante et provocante. Le propos de Ionesco ne s'en trouve que mieux servi : l'absurde y prend un caractère plus quotidien. (Marcelle Capron, *Combat*, le 26 février 1957 D.R.)

Pourtant, quelques refus pouvaient à l'occasion se manifester encore de façon spectaculaire, comme en témoigne cet écho du *Monde* du 16 avril 1957 :

Beaucoup n'ont pas encore compris *La Leçon* de Ionesco. Le public, pourtant nombreux, qui y assistait l'autre soir au théâtre de la Huchette, ne se fit pas faute de manifester bruyamment sa totale allergie au spectacle présenté par Claude Mansard et Marcel Cuvelier. Il n'est pourtant pas nouveau, et l'on s'étonnera de voir une reprise susciter encore pareil remous.

« Ionesco au poteau », « Remboursez », « Rideau », sifflements et cris variés vinrent interrompre plusieurs fois le cours de cette représentation mouvementée. Voilà qui, le rajeunissant, ne pourra qu'enchanter l'auteur de *Jacques ou la Soumission*. Le succès remporté la saison passée par ses *Chaises* au Studio des Champs-Élysées, les éloges d'Anouilh, les suffrages de la rive droite, semblaient pourtant le signe d'une évolution favorable. Et le nom de Molière souvent prononcé à propos du sien paraissait devoir débarrasser enfin Ionesco de son étiquette d'« avant-garde ». Ce sera pour demain. (C.S.D.R.)

Ce fut en effet pour le lendemain. Car bientôt les détracteurs seront convertis ou n'oseront plus ouvrir la bouche de crainte du ridicule. Au fil des années, *La Cantatrice chauve* et *La Leçon*, devenues indissociables dans l'esprit de beaucoup parce qu'elles semblaient devoir être jouées de toute éternité ensemble dans la même petite salle du cinquième arrondissement, seront admirées comme les premières apparitions d'un théâtre nouveau qui ne finissait pas d'enchanter : le théâtre de la Huchette ne risquait-il pas de devenir la grotte de Lourdes de l'« Absurde » ?

Heureusement, les deux œuvres ont assez de force pour résister à tout, et sont assez ouvertes pour accepter des mises en scène, des interprétations différentes. Un seul exemple : en 1977 Daniel Benoin, directeur de la compagnie du Théâtre de l'Estrade, associé avec la Comédie de Saint-Étienne, donne à Vincennes une mise en scène tout à fait personnelle de *La Cantatrice chauve*, faisant des petits-bourgeois 1900 vus par N. Bataille des « cadres riches au bord de leur piscine » (*Valeurs actuelles*, 10 janvier 1977). L'extrait suivant de l'article de Claude Baignières dans *Le Figaro*

Représentation en japonais par la compagnie Sagan, Théâtre de la Huchette, mai 1972. Ph. Oishi Yasumasa, dit Maki. D.R.

(11 janvier 1977) fera sentir et l'originalité encore possible d'une lecture de *La Cantatrice chauve* et l'attitude de la critique à l'égard de la pièce vingt-sept ans après la création.

Depuis deux décennies, le théâtre de la Huchette fait chaque soir triompher *La Cantatrice chauve* en respectant scrupuleusement les indications données par Eugène Ionesco pour la représentation de cet archétype du théâtre de la dérision.

En présentant à son tour cet ouvrage au théâtre Daniel-Sorano, Daniel Benoin, coanimateur de la Comédie de Saint-Étienne, a cherché une sorte de superlatif aux intentions déjà singulièrement corrosives proposées par Ionesco. Et il l'a trouvé, avec une rare intelligence, n'utilisant que des procédés de théâtre, et sans changer une virgule du texte. Il a demandé à ses comédiens d'adopter pour chaque scène un ton qui parodie un style dramatique précis, figé par la tradition. On passe ainsi à toute allure, et sans insister, du western à la comédie musicale, du genre cinéma nouvelle vague à celui du théâtre d'avant-garde, de la revue sud-américaine à l'intrigue psychopolicière. De ces formes d'expression, il n'a bien entendu repris que les « tics », ce qui est exactement dans la ligne du propos de Ionesco et reste « en situation ».

Pour se déculpabiliser néanmoins de la liberté qu'il prend, Daniel Benoin a imaginé d'installer dans un coin du plateau un personnage qui, physiquement, ressemble à Ionesco comme un frère ; ce comparse lit les indications scéniques portées sur le manuscrit, s'étonne de les voir si peu suivies et s'en amuse avant de se retirer sur la pointe des pieds.

Cette aptitude des pièces de Ionesco à se prêter à des visions différentes (on rencontre un phénomène assez semblable avec l'*Ubu-Roi* de Jarry) explique en partie leur fortune dans les pays étrangers les plus divers. Qu'elles ne soient pas mûres pour l'embaumement, on peut en voir la preuve dans l'événement qu'a constitué à Berlin-Est la représentation de *La Cantatrice chauve*, jusque-là interdite en R.D.A., en 1989. Johanna Schall, petite-fille de Brecht, montant au Deutsches Theater *La Cantatrice chauve* dès que la censure s'écroule : il y a là autre chose qu'un hasard.

V. CRITIQUE

De 1952 à 1958, les critiques, occupés à réagir
devant les pièces nouvelles de Ionesco, ne s'appe-
santissent plus sur *La Cantatrice chauve* ou *La Leçon*.
Certes, la publication du tome I de son théâtre aux
Éditions Arcanes en 1953 permet à J. Lemarchand
de manifester à nouveau son vigoureux soutien à
l'auteur, mais c'est surtout à l'occasion de la fameuse
« controverse londonienne » (juin-juillet 1958) que
le débat sur les conceptions théâtrales de Ionesco
rebondit. Polémiste efficace, l'auteur est conduit à
défendre *La Leçon* et *Les Chaises* (cf. *N.C.N.*, p. 137
à 164) attaquées dans l'*Observer*. Sa notoriété
grandissant avec le succès ininterrompu depuis 1957
de ses deux premières pièces au théâtre de la
Huchette, un numéro des *Cahiers des Saisons*
(hiver 1959) lui est consacré. Son œuvre devient
désormais l'objet d'études approfondies. On peut
dégager trois genres différents d'analyses : celles
fournies par l'auteur lui-même, celles des metteurs
en scène et enfin celles des critiques.

Dans *Notes et Contre-notes*, publié en 1962,
enrichi et réédité en 1966 dans une collection de
poche, Ionesco s'explique longuement. L'ouvrage
recueille des articles, notes, entretiens déjà publiés
mais présente aussi des extraits du Journal de
l'auteur. Celui-ci date du 10 avril 1951, soit
deux mois après la création de *La Leçon*.

La Cantatrice chauve aussi bien que *La Leçon* :
entre autres, tentatives d'un fonctionnement *à vide*
du mécanisme du théâtre. Essai d'un théâtre
abstrait ou non figuratif. Ou concret au contraire,
si on veut, puisqu'il n'est que ce qui se voit sur
scène, puisqu'il naît sur le plateau, puisqu'il est
jeu, jeu de mots, jeu de scènes, images,

Notes et Contre-Notes, p. 254 à 256.

concrétisation des symboles. Donc : fait de figures non figuratives. Toute intrigue, toute action particulière est dénuée d'intérêt. Elle peut être accessoire, elle doit n'être que la canalisation d'une tension dramatique, son appui, ses paliers, ses étapes. Il faut arriver à libérer la tension dramatique sans le secours d'aucune véritable intrigue, d'aucun objet particulier. On aboutira tout de même à la révélation d"une chose monstrueuse : il le faut d'ailleurs, car le théâtre est finalement révélation de choses monstrueuses, ou d'états monstrueux, sans figures, ou de figures monstrueuses que nous portons en nous. Arriver à cette exaltation ou à ces révélations sans la justification motivée, car idéologique, donc fausse, hypocrite, d'un thème, d'un sujet.

Progression d'une passion sans objet. Montée d'autant plus aisée, plus dramatique, plus éclatante, qu'elle n'est retenue par le fardeau d'aucun contenu, c'est-à-dire d'aucun sujet ou contenu apparents qui nous cachent le contenu authentique : le sens particulier d'une intrigue dramatique cache sa signification essentielle.

Théâtre abstrait. Drame pur. Anti-thématique, anti-idéologique, anti-réaliste-socialiste, anti-philosophique, anti-psychologique de boulevard, anti-bourgeois, redécouverte d'un nouveau théâtre libre. Libre, c'est-à-dire libéré, c'est-à-dire sans parti pris, instrument de fouille : seul à pouvoir être sincère, exact et faire apparaître les évidences cachées.

La Cantatrice chauve : Personnages sans caractère. Fantoches. Êtres sans visage. Plutôt : cadres vides auxquels les acteurs peuvent prêter leur propre visage, leur personne, âme, chair et os. Dans les mots sans suite et dénués de sens qu'ils prononcent ils peuvent mettre ce qu'ils veulent, exprimer ce qu'ils veulent, du comique, du dramatique, de l'humour, eux-mêmes, ce qu'ils ont de plus qu'eux-mêmes. Ils n'ont pas à se mettre dans des peaux de personnages, dans les peaux des autres ; ils n'ont qu'à bien se mettre dans leur propre peau. Cela n'est guère facile. Il n'est pas facile d'être soi-même, de jouer son propre personnage [...]

Pousser le burlesque à son extrême limite. Là, un léger coup de pouce, un glissement imperceptible et l'on se retrouve dans le tragique. C'est un tour de prestidigitation. Le passage du burlesque au tragique doit se faire sans que le public s'en aperçoive. Les acteurs non plus peut-être, ou à peine. Changement d'éclairage. C'est ce que j'ai essayé dans *La Leçon*.

Sur un texte burlesque, un jeu dramatique.

Sur un texte dramatique, un jeu burlesque.

Faire dire aux mots des choses qu'ils n'ont jamais voulu dire

Parallèlement, interrogé par Claude Bonnefoy *(E.C.B.)*, Ionesco est amené à préciser ses intentions et à analyser ses pièces, ici *La Cantatrice chauve* :

Pour moi il ne s'agissait ni d'incommunicabilité, ni de solitude. Au contraire. Je suis pour la solitude. On dit que mon théâtre c'est une plainte de l'homme solitaire qui ne peut communiquer avec les autres. Pas du tout. On communique facilement. L'homme n'est jamais solitaire et s'il est malheureux c'est parce qu'il n'est jamais solitaire.

C.B. : Était-ce ce que vous aviez l'intention de montrer ?

E.I. : Qu'est-ce que c'était pour moi, cette pièce ? C'était l'expression de l'insolite, de l'existence vue comme une chose absolument insolite. Il y a un degré de communication entre les gens. Ils se parlent. Ils se comprennent. C'est cela qui est stupéfiant. Comment se fait-il que nous nous comprenions ? Le fait que nous nous

Claude Bonnefoy, *Entretiens avec Eugène Ionesco,* © Belfond, 1966, p. 69 à 71.

La Cantatrice chauve, Théâtre des Noctambules, mai 1950. Mise en scène de Nicolas Bataille. Sans décor. Costumes empruntés à un tournage de film. Interprètes : Paulette Frantz, Claude Mansard, Odette Barrois, Simone Mozet, Nicolas Bataille, Henri-Jacques Huet. Ph. © Lipnitzki-Viollet.

comprenions, c'est cela que je ne comprends plus.
Si l'on se met tout à fait, volontairement, en dehors
ou à l'étage au-dessus, si on les regarde comme
un spectacle et comme si on était soi-même à
la place d'un être d'un autre monde regardant ce
qui se passe ici, alors on ne comprendrait rien,
les mots seraient creux, tout serait vide. Ce
sentiment-là nous pouvons l'avoir lorsque nous
voyons les gens danser et que nous nous bouchons
les oreilles. Que font-ils ? Quelle signification cela
peut-il avoir ? Leurs mouvements paraissent in-
sensés. J'écris du théâtre pour exprimer ce
sentiment d'étonnement, de stupéfaction. Pourquoi
et que sommes-nous ? Qu'est-ce que cela veut
dire ? Non, je ne pose même pas le pourquoi, je
ne demande pas qu'est-ce que cela veut dire. Il
s'agit d'une question non formulée mais plus forte
que si elle était formulée, d'une sorte de sentiment
tout à fait primaire, originel devant le fait que
quelque chose est là qui bouge ou qui me semble
bouger. Voilà ce que j'ai voulu rendre. Naturellement
on a donné des interprétations sociologiques, alors
que ce que j'avais voulu exprimer c'était quelque
chose qui sortait des cadres de la logique et de
la sociologie. C'était une mise en lumière de l'être,
de l'insolite de l'être en bloc dans mon étonnement
devant l'existence. L'insolite est partout : dans le
langage, dans le fait de prendre un verre, de le
boire d'un seul coup, bref dans le fait d'exister,
d'être. Se promener, ne pas se promener, c'est
stupéfiant. Faire quelque chose, ne pas faire
quelque chose, stupéfiant. Faire des révolutions,
ne pas faire de révolutions : stupéfiant... Une fois
qu'on a admis l'existence, quand on est dedans,
plus rien n'est étonnant ni absurde. Une fois qu'on
a admis d'être à l'intérieur on communique.
Lorsqu'on sort, qu'on s'éloigne, qu'on regarde,
on ne communique plus. Les personnages de
La Cantatrice chauve parlaient, disaient des

choses banales. Mais ce n'est pas pour critiquer la banalité de leurs dires que j'ai écrit cette pièce, pas du tout. Ce qu'ils disaient ne me paraissait pas banal, mais étonnant et extraordinaire au plus haut point. Lorsque M. et Mme Smith disent au début de la pièce : « Nous avons mangé du pain, des pommes de terre et de la soupe au lard, ce soir, comme c'était bon », je voulais exprimer là l'étonnement que je ressentais devant cet acte extraordinaire : manger. Manger, me semblait inconcevable, étonnant, stupéfiant. Alors que les personnages disent : « Nous avons mangé des pommes de terre au lard » ou qu'ils disent : « Il y a une réalité nouménale que le phénomène cache ou, au contraire, que l'essence des choses peut être exprimée, connue, grâce justement, au phénomène », tout cela a pour moi une valeur ou une non-valeur égale, toutes ces affirmations sont aussi stupéfiantes l'une que l'autre. Ou aussi merveilleuses.

Premier metteur en scène de *La Cantatrice chauve*, Nicolas Bataille donne sa contribution aux *Cahiers des Saisons* de l'hiver 1959 dans un article où il évoque ses souvenirs sous le titre humoristique de « La bataille de *La Cantatrice* ».

Ma première rencontre avec Ionesco date de la fin de l'année 1949. Je jouais alors *Till Ulenspiegel*, que j'avais monté, au Théâtre de Poche. Monique Saint-Côme, qui m'assistait pour cette mise en scène, m'apporta un beau jour le manuscrit d'une pièce d'un ami d'origine roumaine, en me demandant de la lire et de la critiquer. L'ami roumain, c'était Ionesco, et la pièce, qui s'intitulait *L'Anglais sans peine*, n'était autre que la première version de *La Cantatrice chauve.*

On en connaît le thème : un intérieur bourgeois anglais « dans les environs de Londres ». Un couple,

Nicolas Bataille, *Cahiers des Saisons*, Hiver 1959 (D.R.), p. 245 à 248.

la bonne, puis un autre couple, puis un invité. Un échange de répliques inconsistantes, à la manière de l'*Assimil* (d'où le titre premier de la pièce). Les personnages parlent pour ne rien dire. Ou plutôt, comme le dit Ionesco lui-même, ils parlent justement parce qu'ils n'ont rien à dire. Il semblerait a priori qu'une telle « anti-pièce » dût être dénuée de toute espèce de mouvement dramatique. Pourtant, ce mouvement existe. Du début à la fin, nous suivons le processus dialectique de la décomposition du langage. Les répliques, au début laborieusement banales, coupées de longs silences, s'accélèrent petit à petit, deviennent véhémentes, pressées, absurdes. Encore, sous leur absurdité, pouvons-nous reconnaître, à l'oreille, le rythme, le « schéma dynamique » de phrases, mille fois entendues, de la conversation courante. Enfin, lorsqu'à la dernière scène le dialogue tourne au pugilat, le Verbe se vide de tout contenu logique, les personnages finissent par hurler des mots sans suite, uniquement guidés par le rythme, la rime et le jeu des allitérations. L'un d'entre eux, une femme évanouie dans les bras, récite à toute vitesse la série des voyelles... Le langage est désintégré.

Après avoir pris connaissance du manuscrit, je le lus à la troupe. Nous étions tous d'accord : cette pièce était pour nous, il nous fallait la jouer. [...]

Nous nous mîmes aussitôt au travail. Les premières répétitions furent décevantes. Nous ne trouvions pas le ton juste. Nous cherchions, nous cherchions, et Ionesco cherchait avec nous. À la fin, nous comprîmes. Notre grand tort était de vouloir jouer comique. Ainsi nous retombions précisément dans le genre boulevard, celui-là même que nous voulions désintégrer... Il fallait au contraire jouer sérieux, et sincère. Chaque phrase du texte, n'étant que la transposition dans l'absurde d'une phrase parfaitement banale de la conversation courante, devait être dite exactement sur le ton de cette dernière. C'est cela même qui devait lui donner son pouvoir explosif. Il ne s'agissait pas de parodier le vieux théâtre – lequel s'était fort bien parodié lui-même –, il s'agissait de le faire éclater de l'intérieur. Il fallait jouer *L'Anglais sans peine* sur le ton dont nous aurions joué du Ibsen, du Sardou, du François de Curel...

Ainsi, lorsque je demandai à Jacques Noël de nous faire le décor, il le fit sans avoir lu la pièce. Je m'étais bien gardé de la lui faire lire. Je lui avais tout simplement demandé le salon d'*Hedda Gabler*. C'est dans ce même salon, à peine modifié, que nous jouons encore.

Nous reprîmes notre travail dans cette perspective, avec la participation active de Ionesco lui-même. Ce fut long, et la pièce en sortit avec un nouveau titre, et un dénouement différent. Dans la première version, la scène restait vide jusqu'à ce que les spectateurs se mettent à casser les chaises. Alors le directeur de la troupe entrait sur le plateau avec une mitrailleuse et les tuait tous... Les répétitions enchaînées, au cours desquelles le texte à peine fini était repris dès le début, nous suggérèrent un dénouement moins dispendieux... Une fois le langage désintégré, il ne reste plus qu'une chose à faire : le reconstruire, et recommencer à l'utiliser d'une façon aussi inconsistante que précédemment, jusqu'à ce qu'il éclate de nouveau.

Afin qu'on ne pense pas que la version définitive de *La Cantatrice* soit de moi, je me hâte d'ajouter que Ionesco était toujours présent, et que les différentes modifications apportées à la pièce sont bien son œuvre à lui. Au reste, sur tous les points où il n'est pas d'accord avec nous, qu'il s'agisse du texte ou de son interprétation, il a pris soin d'en faire état dans les notes au bas des pages de l'édition de la *N.R.F.* Voir en particulier la scène de reconnaissance des époux Martin, et « cinq semaines en ballon » – Je n'y puis rien, mais j'éprouve d'une façon aiguë la nécessité de cette correction. Les personnages de *La Cantatrice* me font d'ailleurs irrésistiblement penser aux personnages « à sang-froid » des romans de Jules Verne.

Si j'ai bonne mémoire, la pièce fut créée aux Noctambules, en mai 1950, devant un public à la fois ahuri et rouspéteur. Elle y fut jouée pendant un mois et demi. Sans grand succès. Notre situation financière nous interdisant alors tous frais de publicité, les acteurs de la troupe se muèrent en hommes-sandwichs, et, environ une heure avant chaque représentation, on nous voyait arpenter le boulevard, avec des pancartes dans le dos... [...]

Cependant, nous n'en avions pas fini avec *La Cantatrice chauve*. Nous la reprîmes en janvier 53[1], pour trois mois. L'accueil du public fut meilleur. Et puis, en 57, l'envie nous reprit de la jouer. Entre-temps, il y avait eu la création des *Chaises*, de *Jacques*, etc. Ionesco était devenu Ionesco. Cette dernière reprise est un succès complet. Elle dure depuis février 57, et sans interruption, même pendant l'été. *La Cantatrice* est, pour nous, devenue un classique.

Les archives du Théâtre de la Huchette datent la reprise d'octobre 1952.

S. Benmussa publie en 1966 dans la collection *Théâtre de tous les temps*, chez Seghers, un ouvrage intitulé *Ionesco* dans lequel elle analyse successivement ses pièces et leur mise en scène. Voici ce qu'elle écrit sur *La Leçon* :

Dans *La Cantatrice chauve*, le langage est mécanique, c'est une construction de toutes les stupidités qui se détraque, puis finit par éclater. Il n'a de but que d'être lui-même, de se dénoncer comme mécanisme. Dans *La Leçon*, le langage a un but extérieur, il doit faire basculer la témérité de l'élève en soumission et la timidité du professeur en agressivité. La parole est incisive, elle est un

Simone Benmussa, *Ionesco*, © Seghers, 1966, p. 93 à 96.

élément hypnotique pour réduire l'élève, elle préfigure le couteau.

Les premiers signes de ce renversement se situent dès la leçon d'arithmétique. Pourtant l'agressivité ne se révèle pas encore, mais le professeur, à l'aise dans son seul métier, prend déjà une certaine autorité, retrouve un certain équilibre, sa voix commence à se timbrer dès que la première question scolaire est posée. Il attend de l'élève une réponse qu'il connaît, il se sent donc en sécurité. Le dialogue devrait être sans surprise pour lui, l'élève doit avoir des réponses justes ou fausses d'élève pour qu'il se rassure d'abord et la domine ensuite de plus en plus. Il craint d'elle, au début, qu'elle soit un individu pouvant le dérouter par son dialogue et son univers personnels.

« Mais le renversement se produit, dit Cuvelier, second metteur en scène de Ionesco, quand la leçon de philologie déclenche, chez le professeur, une sorte d'ivresse du mot qui le conduit dans un état inconscient actif, hypnotise l'élève et la plonge dans un état second passif. Au moment où l'élève commence à se plaindre de son mal aux dents, le professeur prend un temps, la regarde. L'inquiétude se crée avec ce silence. Les comédiens sont, à ce moment, sensibles à une réaction du public pressentant le drame final.

« La progression de l'agressivité du professeur est plus continue dans le mouvement général de la pièce, ses monologues sont plus longs, sa transformation se fait plus insensiblement que celle de l'élève, qui, elle, procède par sursauts, ses phrases sont très brèves. Le rôle du professeur est un excellent exercice de comédien, ajoute M. Cuvelier, parce qu'il passe par toutes les gammes des sentiments : la timidité, l'assurance, le passage de l'une à l'autre, le comique, le tragique, le sadisme, l'érotisme, le pathologique, la culpabilité, ainsi que le plaisir, la fureur. (Ce rôle fait partie, maintenant, du répertoire de travail des cours d'Art dramatique.) »

La bonne et l'élève sont un peu comme dans *Le roi se meurt*, la femme-épouse et la femme-maîtresse, la femme qui passe et celle qui reste. Dans la femme-épouse, nous retrouvons le transfert du souvenir de la mère, thème qui s'est développé dans les pièces postérieures. L'attitude de la bonne envers l'élève est une attitude de sujet à objet, objet dont elle se débarrasse simplement (à ce propos rappelons que dans la chorégraphie que Flemming Flindt a tirée de la pièce, la bonne (Tsilla Chelton) a une pantomime avec un balai), c'est un jouet de plus qu'il a abîmé, il a toujours ses mauvaises habitudes, ses petits « jeux innocents ».

La tragédie finale a été réalisée comme une sorte de ballet. Une espèce de tango langoureux et érotique mêlé de poursuites, une espèce de danse autour de la table, une hésitation, quelques pas en avant, quelques pas en arrière, figurant, de la part de l'élève, une sorte de refus et de consentement. L'élève est consentante par lassitude, par inconscience, elle est abrutie de mots. Mais surtout elle est naïve, son ignorance enfantine de la soustraction est la transposition de sa candeur sexuelle. Le professeur, dès la première soustraction malheureuse, plus encore que de vouloir lui en expliquer le procédé, fait montre de sa puissance, il profite de sa naïveté d'enfant, il a besoin de son ignorance car, si l'élève était déniaisée, il ne pourrait pas avoir la même agressivité. L'élève sent seulement une inquiétude, une menace (le mal aux dents l'illustre) ; si elle consent ce n'est pas seulement par passivité mais par ignorance de l'importance de l'acte, et de l'agressivité qu'il recèle. [...]

Marcel Cuvelier présenta *La Leçon* pour la première fois, au Théâtre de Poche Montparnasse, le 20 février 1951. Lui-même interprétait le rôle du professeur, Rosette Zuchelli jouait la jeune élève et Claude Mansard, la bonne.

Le texte donnait des indications très précises sur les personnages ; toutefois, M. Cuvelier a fait du professeur un croquis plus jeune car il pensa qu'il valait mieux éviter la composition et les postiches :

« Ce sont des personnages qui n'ont pas d'âge, dit Cuvelier, on ne sait pas si la jeune fille est une écolière ou une étudiante, elle peut aussi bien avoir douze ans que dix-huit. Elle étudie à la fois l'arithmétique et la philologie qui sont des disciplines correspondant à des maturités d'esprit différentes. Les personnages de Ionesco sont universels, on ne peut les réduire à une description psychologique trop étroite. »

Quant au rôle de la bonne, il était tenu par un homme, ce qui n'était pas indiqué par l'auteur, mais Cuvelier pensa que seul un homme pouvait convenir pour couvrir de sa personnalité (et de sa force, souvenons-nous qu'à la fin de la pièce le professeur tente de lui enfoncer son couteau dans le corps, mais elle déjoue sa manœuvre en lui faisant presque une prise de judo) celle du professeur. Au théâtre de la Huchette (1957) c'est Jacqueline Staup qui interprétait le rôle, « elle en a la force », précise M. Cuvelier.

Fidèle admirateur de Ionesco, le critique J. Lemarchand intervient, lui aussi, dans les *Cahiers des Saisons* (hiver 1959) pour établir un bilan sur « Les débuts de Ionesco » :

Depuis cette *Cantatrice chauve* et cette *Leçon*, l'œuvre d'Eugène Ionesco s'est considérablement enrichie, et de pièces qui ont sans doute plus de sens et de belle épaisseur dramatique que ces deux pièces de ses débuts : mais j'aime bien que ce

Jacques Lemarchand, *Cahiers des Saisons*, Hiver 1959, p. 216.

soit par elles qu'il ait eu accès au théâtre, et pour lui et pour nous. Elles constituent la clé de son théâtre. Sans elles, *Les Chaises, Victimes du devoir, Comment s'en débarrasser* eussent mis peut-être plus longtemps à nous atteindre ; par les réactions mêmes qu'ont suscitées ses débuts, cerné tant par ses amis que par ses adversaires, Ionesco semble avoir pris plus vite conscience qu'il n'eût pu de ce qui fait l'originalité irréductible de son œuvre : une tendresse à coups de couteau ; une exploration presque amoureuse des secrets parfois très beaux que dissimule la profonde et constante inadaptation du langage aux sentiments et aux vérités qu'il prétend exprimer ; et le sentiment que ce que nous appelons sottise, ou niaiserie, est aussi pathétique que comique, parce que le ridicule bavardage des sots n'est peut-être que la plainte incompréhensible pour nous que pousse une bête qui a mal et ne peut nous faire comprendre ce qu'elle a. Nous connaissons les brillants « chirurgiens de l'âme », « cliniciens des cœurs » et les « grands patrons » de la sensibilité : Ionesco prend, le premier, l'emploi neuf et riche en possibilités de vétérinaire pour hommes seuls. Il y faut beaucoup d'abnégation, et cet amour que l'humour seul rend supportable.

S. Doubrovsky, dans *La Nouvelle Revue française* du 1er février 1960, publie une synthèse sur « Le rire de Ionesco ». Après avoir démontré que ce dernier pratique « le comique de non-caractère », il analyse les procédés de l'auteur pour désintégrer le langage.

Détachés, montés en épingle, sertis avec une habileté consommée, entraînés dans une sarabande endiablée par la verve de l'auteur, les mots et les phrases, perdant leur épaisseur, montrent soudain à nu la pauvreté insoutenable de la pensée. Nous

Serge Doubrovsky, *La Nouvelle Revue Française,* 1er février 1960, nº 86, p. 320-321.

Jean Tinguely : *Narva*. Tinguely-Archiv, Christina Bischofberger, Küsnacht, Suisse.

« Bonjour madame Smith. » Extrait de *La Cantatrice chauve,* Gallimard, 1964.
Typographie de Massin. Photo-Graphie d'Henry Cohen.

nous apercevons non sans désarroi que, pour elle, les mots ne sont pas des systèmes de références ou des points d'appui, mais le tout de la réalité. Enfermé dans son discours, l'homme se croit à l'abri au sein de son psittacisme. Il suffit de nous présenter un instant le langage du *dehors* pour jeter à bas cette fragile barrière. Dès lors, l'imagination du poète achève la débâcle. Alain Bosquet avait compté, avec une remarquable minutie, jusqu'à trente-six « recettes » du comique de Ionesco. Sur le plan du langage, l'auteur témoigne d'une invention et d'une accumulation verbales prodigieuses : calembours, contrepèteries, coq-à-l'âne, équivoques, quiproquos et mille pirouettes saugrenues et cocasses, jusqu'à la décomposition du langage en onomatopées, braiments et éructations divers ne trahissent pas simplement un penchant puéril ou maladif de l'auteur pour les pétarades et feux d'artifice verbaux : ils sont autant de *mises en accusation* du langage, un langage qui se prête à toutes les caresses, toutes les sollicitations, torsions et distorsions, qui peut exprimer les contraires d'une seule haleine et qui se croit l'émanation du Logos universel. Au lieu que les hommes se servent du langage pour penser, c'est le langage qui pense pour eux. Il faut leur arracher ce masque. Après le comique de non-caractère, nous avons le comique de l'anti-mots.

Dans son ouvrage *Eugène Ionesco*, Claude Abastado procède à une « étude analytique » des pièces en suivant leur ordre chronologique. L'extrait qui suit est un des chapitres sur *La Leçon* et s'intitule : « Un rythme de la parole ».

On peut considérer que le titre de la pièce définit le « sujet » ; on peut aussi parler d'intrigue puisque quelqu'un tue quelqu'un, il y a crime sadique. Mais là n'est pas la pièce.

Claude Abastado, *Eugène Ionesco,* © Bordas, 1971, p. 69-70.

La Leçon est un mouvement dramatique sans objet, un rythme pur fondé sur un mécanisme de la parole, un crescendo qui fait surgir de l'ombre des réalités monstrueuses. La tension montante est d'autant plus sensible que les deux protagonistes sont confrontés tout au long de la pièce, et sont seuls. L'apparition de la bonne marque les étapes de la progression. L'absence de division en scènes souligne la continuité.

Le mécanisme de la parole, dans *La Leçon*, n'est plus celui de *La Cantatrice chauve*. Au lieu de phrases et de clichés qui se désarticulent, explosent et retombent en éclaboussures – bruits, syllabes et lettres – le langage, ici, subit une cristallisation ; puis il échappe à ceux qui l'utilisent. Au début de la pièce les répliques de l'élève sont une parole dominée : ce qu'elle dit correspond à ce qu'elle veut dire et reflète exactement sa personnalité consciente ; au contraire le professeur est incapable de donner forme à ses pensées, laisse échapper des bribes de phrases absurdes. Mais tout change au cours de la leçon d'arithmétique : la parole s'organise, se construit, précisément par addition ; les mots, les phrases s'agglutinent parce qu'ils ont trouvé dans l'inconscient le principe de leur association. Le discours devient autonome et prolifère en vertu de son dynamisme propre. Le professeur ne commande plus ce qu'il dit ; le « cours tout préparé » existe seul. Ou plutôt il existe pour mettre à jour des secrets infernaux. Des rapports conflictuels souterrains s'instituent entre le professeur et l'élève et les bribes d'une « sous-conversation » s'intègrent au dialogue. Certains propos trahissent l'obscur combat des pulsions, des instincts : « vous êtes exquise », « si je vous arrache un nez », « si je vous mange une oreille ». La fonction du dialogue n'est plus que d'expliciter l'agressivité du professeur, la soumission consentante de l'élève. Les mots préfigurent le couteau. Dans *La Cantatrice chauve*, le langage est assassiné ; dans *La Leçon*, il tue.

Cette progression explique le climat de la pièce. Le début est burlesque puis l'atmosphère devient angoissante par tout ce que les mots dévoilent et avouent. « Drame comique », indique le sous-titre. Ce comique est insoutenable : le rire se fige en malaise ; c'est un effet voulu pour choquer le public et le contraindre à voir ce qu'il feint d'ignorer. Si à Paris, en 1951, la pièce fut simplement mal accueillie, à Bruxelles elle fit scandale : les spectateurs exigèrent d'être remboursés et Marcel Cuvelier, qui tenait le rôle du professeur, dut s'échapper par une porte dérobée.

Pour terminer ce panorama forcément succinct, vu les dimensions de l'ouvrage, voici un passage de l'étude faite par Giovanni Lista. Il s'agit précisément d'une revue des différentes interprétations proposées par la critique littéraire.

Le rideau se lève sur le bureau d'un vieux professeur. La bonne fait entrer une jeune élève « de dix-huit ans » venue pour sa leçon. La jeune fille affirme qu'elle veut préparer « le doctorat total » en trois semaines. La pièce s'annonce donc comme un apologue traité sur le mode du vaudeville. Mais, comme l'écrivait Jean-Jacques Lemarchand, ce sera « à peu de chose près, la reproduction fidèle d'une leçon du maréchal Foch à l'école de guerre ». On reconnaît plutôt l'histoire du petit chaperon rouge et du méchant loup, tandis qu'Albert Schulze-Vellingausen perçoit la pièce comme un rite archaïque semblable à la corrida où le professeur n'est autre que « le Moloch de la culture livresque ». La bonne joue le rôle du tiers. Roberto Rebora remarque qu'elle n'est qu'une « présence exclusivement fonctionnelle ». C'est elle pourtant qui, dès le début de la leçon, prévient le professeur qu'il

Giovanni Lista, *Ionesco,* © Veyrier, 1989, p. 25-26.

ne faut pas commencer avec l'arithmétique car « ça fatigue et ça énerve ». Plus tard, quand la leçon portera sur « les éléments de la linguistique et de la philologie comparée », elle s'insurgera : « Non, Monsieur, non !... Il ne faut pas. Surtout pas de philologie, la philologie mène au pire... » Autrement dit, la découverte du Sens ne peut qu'entraîner la mort du Sujet au profit du Verbe. Pour Paul Vernois, il s'agit plutôt d'une simple boutade ou de l'aveu indirect de cette fonction révélatrice du langage : « au drame du discours correspondrait secrètement le drame humain le plus profond ». Lou Brouder trouve la réplique fort significative : « La philologie mène au pire, c'est-à-dire à la Confusion, à Babel, ou au théâtre de Ionesco précisément, cette entreprise délibérée de subversion et de démolition du langage.

Ionesco, auteur reconnu, est désormais pris au sérieux : il suffit pour s'en convaincre de lire la minutieuse bibliographie de Lista, ou même celle, plus modeste, qui suit.

VI. BIBLIOGRAPHIE

Les indications bibliographiques pourront être complétées par la consultation du *Ionesco* de G. Lista, qui fournit notamment un relevé détaillé des nombreux articles de presse consacrés à *Ionesco*.

PRINCIPALES ÉDITIONS DE « LA CANTATRICE CHAUVE » ET DE « LA LEÇON »

La Cantatrice chauve, « Cahiers du Collège de "Pataphysique" », n° 7 (scènes 1 à 7) et n°s 8/9 (scènes 8 à 11), 1952.

La Cantatrice chauve (*avec une « scène inédite »*), interprétation typographique de Massin et photographique d'Henry Cohen, Gallimard, 1964.

La Cantatrice chauve suivi de *La Leçon*, coll. « Le Manteau d'Arlequin », Gallimard, 1970.

La Cantatrice chauve suivi de *La Leçon*, coll. « Folio », Gallimard, 1970.

La Cantatrice chauve et *La Leçon*, suivies d'autres pièces de l'auteur, figurent dans les recueils suivants :

    Théâtre I, Préface de Jacques Lemarchand, éd. Arcanes, 1953.

    Théâtre I, Préface de Jacques Lemarchand, Gallimard, 1954.

    Théâtre, édition réalisée par E. Jacquart, coll. Bibliothèque de la Pléiade, Gallimard, 1991.

OUVRAGES DE RÉFÉRENCE

I. ŒUVRES DE IONESCO.

La lecture des œuvres suivantes de Ionesco pourra éclairer la lecture des deux pièces.

- *Non*, Gallimard, 1986, traduction par Marie-France Ionesco de *Nu*, paru à Bucarest en 1934. Recueil d'articles et d'essais critiques écrits pendant la « période roumaine ».
- *Notes et Contre-notes*, coll. « Pratique du théâtre », Gallimard, 1962, nouvelle édition augmentée dans la coll. « Idées », Gallimard, 1966.
  Indispensable pour la connaissance du dramaturge et du polémiste. Recueil d'essais, d'articles et d'interviews. A lire en priorité.
- *Entretiens avec Eugène Ionesco* (Claude Bonnefoy/Ionesco), Belfond, 1966.
  Très utile : confrontation d'un critique qui a une solide connaissance de l'œuvre, pose des questions pertinentes, et d'un auteur qui prend plaisir à s'expliquer. Mais le plan (1. La découverte 2. la création 3. les thèmes 4. aujourd'hui et demain) entraîne quelques répétitions.
- *Journal en miettes*, Mercure de France, 1967. Repris dans la coll. « Idées ».
- *Présent passé/Passé présent*, Mercure de France, 1968. Repris dans la coll. « Idées » en 1976.
  La mémoire et l'interrogation sur le présent s'éclairent mutuellement. Peut-être le meilleur livre pour approcher la connaissance de la personnalité de l'auteur.
- *Découvertes*, coll. « Les Sentiers de la création », éd. Skira, 1969 (illustrations de l'auteur).
- *Discours de réception d'Eugène Ionesco à l'Académie française et réponse du professeur Jean Delay*, Gallimard, 1971. Le

discours et la réponse ont été publiés dans le quotidien *Le Monde* du 26 février 1971.

- *Le Solitaire*, roman, Mercure de France, 1973. Repris en « Folio », n° 827.
- *La Quête intermittente*, Gallimard, 1987.

II. ÉTUDES CRITIQUES.

A. Ouvrages généraux.

Ces ouvrages fourniront des précisions sur le contexte dans lequel a pu naître le théâtre de Ionesco et un panorama de l'avant-garde dramatique des années cinquante. On y découvrira aussi des analyses qui traitent directement de l'œuvre de notre auteur.

- Esslin, Martin : *Le Théâtre de l'absurde*, Buchet-Chastel, 1963.
- Corvin, Michel : *Le Théâtre nouveau en France*, coll. « Que sais-je ? », n° 1072, P.U.F., 1963, p. 37 à 65 consacrées à Ionesco.
- Serreau, Geneviève : *Histoire du nouveau théâtre*, coll. « Idées », Gallimard, 1966, p. 37 à 65 consacrées à Ionesco.
- Jacquart, Emmanuel : *Le Théâtre de dérision*, coll. « Idées », Gallimard, 1974. Étude particulièrement recommandée. Elle concerne Beckett, Ionesco, Adamov. À travers des chapitres portant sur les personnages, la composition, le dialogue, etc., E. Jacquart étudie ces trois auteurs en multipliant les rapprochements entre eux.
- Hubert, Marie-Claude : *Langage et corps fantasmé dans le théâtre des années cinquante* (Ionesco, Beckett, Adamov), suivi d'entretiens avec E. Ionesco et J.-L. Barrault), José Corti éd., 1987, p. 19 à 69 consacrées à Ionesco.

B. Ouvrages consacrés en totalité à Ionesco.

- Donnard, Jean-Hervé : *Ionesco dramaturge ou l'Artisan et le démon*, Lettres modernes éd., 1966. Livre de consultation aisée, agréablement rédigé, qui consacre un chapitre à chaque pièce ; libre dans son ton et son jugement, cet ouvrage est particulièrement intéressant sur *La Cantatrice chauve.*

- Benmussa, Simone : *Ionesco*, coll. « Théâtre de tous les temps », Seghers, 1966. Très utile ; met l'accent sur l'imaginaire de Ionesco et sur les mises en scène. On lira en priorité le chapitre intitulé « L'image, évidence vivante », et les p. 73 à 92 sur *La Cantatrice chauve*. L'analyse de *La Leçon* est largement citée dans notre dossier, (extraits des critiques).

- Abastado, Claude : *Eugène Ionesco*, étude suivie d'un entretien avec E. Ionesco, coll. « Présence littéraire », Bordas, 1971. Comporte notamment une étude analytique du théâtre de Ionesco qui met en lumière l'évolution de l'œuvre.

- Vernois, Paul : *La Dynamique théâtrale d'Eugène Ionesco*, Préface de E. Ionesco, Klincksieck éd., 1972.

- Laubreaux, Raymond : *Les Critiques de notre temps et Ionesco*, Garnier, 1973. Recueil de trente-sept extraits d'études (livres, articles) sur Ionesco, avec une introduction. Instrument de travail très utile.

- Lista, Giovanni : *Ionesco*, coll. « Les Plumes du Temps », H. Veyrier éd., 1989. Étude très informée. Riche iconographie, en particulier pour *La Cantatrice chauve* et *La Leçon*.

- Hubert, Marie-Claude : *Eugène Ionesco,* coll. « Les Contemporains », Éd. le Seuil, 1990.

Signalons deux recueils d'articles et d'essais :

- Le n° 15 de la revue *Cahiers des Saisons*, hiver 1959. Ensemble d'excellente qualité : outre les articles dont nous avons cité des extraits dans notre choix de critiques (dossier), on lira avec plaisir les textes de J. Brenner, Saroyan, Soupault...

- Colloque de Cerisy, *Ionesco, situation et perspectives*, Belfond, 1980. Préface d'E. Ionesco. Ce volume réunit les communications faites au Centre culturel de Cerisy-La-Salle en août 1978 sur l'œuvre de Ionesco. On lira surtout :

Ionesco, Gelu : « La première jeunesse d'E. Ionesco », pour s'informer de la période roumaine.

- Abastado, Claude : « Logique de la toupie ».
- Jacquart, Emmanuel : « Ionesco aux prises avec la culture ».

C. *La Cantatrice chauve* et la *Méthode Assimil*.

- A. Chérel : *L'Anglais sans peine*, Méthode quotidienne Assimil, illustrations de Pierre Soymier, éd. Assimil, 1948.
- Lutembi : *Contribution à une étude des sources de « La Cantatrice chauve »,* « Cahiers du Collège de Pataphysique », nᵒˢ 8/9, décembre 1952, p. 87 à 89.

TABLE

DANS LA MÊME COLLECTION

Michel Bigot, Marie-France Savéan   *La cantatrice chauve et La leçon d'Eugène Ionesco*
Arlette Bouloumié   *Vendredi ou Les limbes du Pacifique de Michel Tournier*
Pierre Chartier   *Les faux-monnayeurs d'André Gide*
Henri Godard   *Voyage au bout de la nuit de Louis-Ferdinand Céline*
Geneviève Hily-Mane   *Le vieil homme et la mer d'Ernest Hemingway*
Thierry Laget   *Un amour de Swann de Marcel Proust*
Jacqueline Lévi-Valensi   *La peste d'Albert Camus*
Jean-Yves Pouilloux   *Les fleurs bleues de Raymond Queneau*
Claude Thiébaut   *La métamorphose de Franz Kafka*

À PARAÎTRE

Patrick Berthier   *Colomba de Prosper Mérimée*
Marc Buffat   *Les mains sales de Jean-Paul Sartre*
Marc Dambre   *La symphonie pastorale et La porte étroite d'André Gide*
Michel Décaudin   *Alcools de Guillaume Apollinaire*
Marie-Christine Lemardeley-Cunci   *Des souris et des hommes de John Steinbeck*
Claude Leroy   *L'or de Blaise Cendrars*
Henriette Levillain   *Les Mémoires d'Hadrien de Marguerite Yourcenar*
Marie-Thérèse Ligot   *Un barrage contre le Pacifique de Marguerite Duras*
Alain Meyer   *La condition humaine d'André Malraux*
Jean-Yves Pouilloux   *Fictions de Jorge Luis Borges*

DU MÊME AUTEUR

DISCOURS DE RÉCEPTION D'EUGÈNE IONESCO À L'ACADÉ-
MIE FRANÇAISE et réponse de Jean Delay.

MACBETT, *théâtre*.

CE FORMIDABLE BORDEL !, *théâtre*.

JOURNAL EN MIETTES (Collection Idées).

EXERCICES DE CONVERSATION ET DE DICTION FRAN-
ÇAISES POUR ÉTUDIANTS AMÉRICAINS (THÉÂTRE, V).

L'HOMME AUX VALISES (THÉÂTRE, VI).

PRÉSENT PASSÉ, PASSÉ PRÉSENT, *essai* (Collection Idées).

LE SOLITAIRE, *roman* (Collection Folio).

ANTIDOTES, *essai*.

UN HOMME EN QUESTION, *essai*.

VOYAGES CHEZ LES MORTS. Thèmes et variations, *théâtre*.

HUGOLIADE.

LE BLANC ET LE NOIR.

NON.

LA QUÊTE INTERMITTENTE.

Dans la collection Folio Benjamin

CONTE N° 1. *Illustrations d'Étienne Delessert (n° 80).*

CONTE N° 2. *Illustrations d'Étienne Delessert (n° 81).*

CONTE N° 3. *Illustrations de Philippe Corentin (n° 118).*

CONTE N° 4. *Illustrations de Nicole Claveloux (n° 139).*

Aux Éditions Belfond

ENTRE LA VIE ET LE RÊVE, entretiens avec Claude Bonnefoy.

Aux Éditions Delarge

CONTES POUR ENFANTS (4 volumes).

Aux Éditions Erker St Gall

LE NOIR ET LE BLANC.

*Composé et achevé d'imprimer
par Maury-Eurolivres – 45300 Manchecourt
le 26 août 1999.
Dépôt légal : août 1999.
Numéro d'imprimeur : 99/08/74076.*
ISBN 2-07-038347-4/Imprimé en France.